Erich Ecke

**Försters Christel
und ihre Tiere**

Voller lustiger aber auch aufregender Ereignisse verleben die Geschwister Wilfried und Christel eine schöne Zeit im Forsthaus und Revier. Das Leben im Forsthaus bringt nicht nur Erlebnisse mit Tieren, sondern auch manche Aufregung. Einmal geraten die beiden in ein Unwetter bei einer gefährlichen Überschwemmung, und dann erleben sie einen Waldbrand.

Aber nicht nur in solchen aufregenden Augenblicken findet Christel Tiere, die ihre Liebe und Hilfe brauchen, sondern wo sie geht und steht. Dabei gibt es recht ungewöhnliche Freundschaften mit Polko, der Krähe, Söffken, der Haubenlerche, mit dem Igel Bobby und Jonas, dem Eichhörnchen, aber Christels Liebling wird Strolch, der Fuchs.

Eine nette Forsthauserzählung, die unsere jungen Leser beglückt.

Für Mädchen ab 10 Jahren
Bestell-Nr. 715

Försters Christel

und ihre

Tiere

Erlebnisse in Wald und Heide

von

ERICH ECKE

NEUER JUGENDSCHRIFTEN-VERLAG

HANNOVER

Nach dem Tagebuch des Autors
bearbeitet von Annegret Rausch-Hüger

Einbandzeichnung und Textillustrationen: Jochen Vaberg.
Alle Rechte an dieser Ausgabe, auch die des auszugsweisen Nachdrucks,
vom Verlag vorbehalten.
© Neuer Jugendschriften-Verlag 1968
Hersteller: Neuer Jugendschriften — Verlag

INHALTSVERZEICHNIS

Ein seltsames kleines Wesen

Unter dem Torbogen des Gasthauses „Zum Münzhof" standen ein Mädchen und zwei Jungen und beobachteten aufmerksam die verschneite Straße. Das Mädchen, Christel hieß es, trat jetzt etwas heraus und musterte die gegenüberliegenden Dächer. Aber da war nichts Auffallendes festzustellen. Dann schaute Christel nach der Normaluhr auf dem Platz an der Heidestraße. Es war gegen fünfzehn Uhr.

„Gestern und vor drei Tagen ist sie um diese Zeit hier aufgetaucht. Da habe ich sie noch dem Apotheker gezeigt, der gerade in der Tür stand."

„Was hat denn Doktor Klubsch dazu gesagt?" wollte Peter wissen.

„Der hat bloß mit dem Kopf gewackelt und erklärt, daß er sowas auch noch nicht gesehen habe."

In diesem Augenblick fuhr ein Lastwagen vorbei und vertrieb mehrere Spatzen, die eifrig an gefrorenen Roßäpfeln herumgepickt hatten.

„Die Sperlinge kommen doch immer noch am besten über den Winter", meinte Wilfried, Christels Bruder, der zwei Jahre älter war als sie.

Christel nickte: „Unsere Haubenlerchen mögen auch Roßäpfel. Darum werden sie von vielen Menschen auf dieselbe Stufe gestellt. Das ist sehr ungerecht! Unsere Friedel war so begabt. Mehr als ein Dutzend Gesänge anderer Vögel konnte sie nachahmen — —"

„Ja, um eure Friedel ist es wirklich schade", meinte Wilfrieds Freund Peter. „Ich sehe sie noch auf der Straße neben dir herlaufen. Die Leute sperrten Mund und Nase auf, wenn du riefest und sie dir auf die Hand flog."

„In meiner hohlen Hand saß sie überhaupt am liebsten."

„Aber, am meisten hab' ich mich darüber gewundert, daß sie sogar auf Befehl tanzte und auch sprechen konnte", sagte Peter.

Wilfried lachte. „Wenn jemand von uns aus dem Zimmer gehen wollte, rief sie mit ihrem Lerchenstimmchen hinterher: ‚Bliew hier, bliew hier!' Das bringt nicht jede Haubenlerche fert . . ."

„Da! Da drüben — seht ihr?" unterbrach Christel ihn.

Zwei Augenpaare folgten der angedeuteten Richtung.

„Nee!" sagte Peter endlich enttäuscht.

„Eben ist sie um die Ecke. Los!"

Die drei verließen nun ihr Versteck und überquerten die Straße.

„Wenn bloß nichts dazwischen kommt", murmelte Christel besorgt. Plötzlich blieb sie stehen und hielt die nachfolgenden Begleiter mit ausgebreiteten Armen zurück:

„Stop! Da ist sie!"

Was sie nun erblickten, machte sie zunächst sprachlos. Nur wenige Meter vor ihnen schoß ein Vogel vorbei, wie sie noch keinen gesehen hatten. Zwar konnte kein Zweifel darüber bestehen, daß es eine Haubenlerche war, aber diese hier besaß weiße Schwingen und einen weißen Schwanz!

„Mensch, Christel, das ist ja fabelhaft!" rief Wilfried begeistert. „Tatsächlich, ein Albino!"

„Wenigstens teilweise", schränkte Christel ein, blickte sich aber voller Stolz auf ihren Fund um.

„Macht nichts!" ereiferte sich nun auch Peter. „So ein Tier ist doch selten. Das erzählen wir morgen unserem Biologielehrer."

„Tut, was ihr nicht lassen könnt", sagte Christel achselzuckend und fügte geheimnisvoll hinzu: „Ich habe jedenfalls noch etwas anderes vor."

„Was denn?" fragten die Jungen gespannt.

„Das verrate ich erst, wenn es soweit ist. Jetzt wollen wir mal aufpassen, ob sie allein bleibt. Haubenlerchen leben an sich paarweise."

Sie kamen aber nicht mehr dazu, diese Frage zu klären; denn gleich darauf brummte wieder ein Lastzug vorbei, der den einzigartigen Vogel verscheuchte. Sie hatten jedoch Glück, daß er gerade über ihre Köpfe hinwegflog. Seine weißen Schwingen und der gefächerte Stoß leuchteten in der Sonne hell auf.

Die drei starrten ihm nach, bis er hinter einem Hausgiebel verschwunden war.

Ehe die Geschwister sich von Peter trennten, sagte Wilfried zu seinem Freund: „Du mußt bald mal wieder zu uns kommen Peter. Wir haben jetzt eine neue Sensation. Christels jetziger Freund ist ein würdiger Herr im schwarzseidenen Frack und silbergrauer Weste und heißt Polko."

„Ach ja, der Polko!" rief Christel. „Du, Peter, der ist noch schlauer als die Friedel, den mußt du kennenlernen."

„Und wer ist Polko?"

Christel und Wilfried zwinkerten sich zu. „Das verraten wir nicht. Komm nur!"

*

Wilfried und Peter hatten Doktor Werner, ihrem Biologielehrer, von Christels Entdeckung berichtet.

Die weißbeschwingte Haubenlerche wurde daraufhin der Anlaß zu einem Klassenausflug. Der Vogel tat ihnen auch den Gefallen und stellte sich ein, nachdem eine zusätzliche Portion Roßäpfel herbeigeschafft worden war, um den Anflug verlockender zu machen.

Christel, die selbstverständlich dabei sein durfte, war die Heldin des Tages, aber sie bildete sich nichts darauf ein. Ihr schien etwas anderes wichtiger zu sein, doch das behielt sie für sich.

Ihrem Bruder Wilfried fiel allerdings auf, daß sich die kleine Schwester auf einmal für die Posteingänge interessierte.

„War etwas für mich dabei?" fragte sie jedesmal, wenn sie aus der Schule kam.

„Wer so'l denn meinem Schwesterlein schreiben?" erkundigte sich Wilfried eines Tages.

Christel runzelte die Stirn. „Wilfried, bitte, unterlaß diese Verniedlichungen. Schließlich bin ich ja nun bald zwölf."

„Natürlich, mein Fräulein, natürlich!" neckte Wilfried. „Ich nehme Sie durchaus ernst, seitdem ich weiß, daß Sie mit dem bekannten Forscher Doktor Klein..."

„Wilfried!" jauchzte sie, packte den Bruder am Arm und schüttelte ihn. „Wo ist der Brief? — Her damit!"

Wilfried lachte und machte sich mit einem Ruck frei.

„Auf deinem Schreibtisch, Fräulein Studienrätin!"

Im Nu war Christel draußen und eilte die Stiege hinauf. „Ich bin gleich wieder da!"

Die Stille der nächsten Minuten wurde nur durch das regelmäßige Ticken der alten Standuhr unterbrochen. Dann polterte es auf den Stufen, und Christel erschien, einen Brief in der Hand, wieder im Zimmer.

„Wilfried, weißt du, was hier drin steht?"

„Na klar! Ich kann ja bekanntlich hellsehen!" spottete der Bruder mit ernsthafter Miene. „Also, bitte — lies vor!"

„Paß auf!

Sehr geehrtes Fräulein Waldrich!"

Sie betonte besonders das „Fräulein", wobei sie den Bruder mit einem Seitenblick streifte.

„In Beantwortung Ihrer Frage kann ich Ihnen folgende Erläuterung geben: Der teilweise Farbstoffmangel — genannt: partieller Albinismus, ist natürlich eine krankhafte Erscheinung, aber der Vogel kann sonst gesund sein. Ich habe einen ganz ähnlichen Fall bei einer Haubenlerche beobachtet. Das Schönste ist dabei, daß man die Standorttreue des Tieres feststellen kann. Schreiben Sie jeden Tag auf, an dem Sie den Vogel sehen, und ob er sich immer an demselben Platz aufhält. Solche Weißlinge fallen ja meist durch ihre auffallende Färbung nach einiger Zeit dem Raubzeug zum Opfer.

Mit freundlichem Gruß
Ihr ergebener
Doktor Klein.

Na, was sagst du nun? Ich habe nämlich Doktor Klein um Auskunft gebeten, wie ich mich verhalten soll!"

„Ich finde es jedenfalls sehr nett, daß er dir so ausführlich geantwortet hat."

„Du mußt mir natürlich bei der Beobachtung helfen, Wilfried!" bestimmte Christel eifrig.

„Es soll mir ein Festessen sein", nickte Wilfried ernsthaft, „und meine Hausaufgaben lasse ich solange von den Heinzelmännchen machen, die können das sowieso besser."

„Ach!" machte Christel und warf ungeduldig den Kopf zurück. „Nun übertreib' doch nicht gleich wieder! Ich meine bloß, daß du, wenn du gerade in der Gegend vom ‚Münzhof' bist, mal hier mal da einen kleinen Bogen fährst und dich umguckst. So will ich es auch machen. Mit dem Rad verliert man ja dabei keine Zeit, und außerdem liegt die Gegend fast auf deinem Schulweg."

„Ja, ja — fast", Wilfried lachte, „nur leider in entgegengesetzter Richtung! — Na, nun zieh' nicht gleich so ein beleidigtes Gesicht, Christelmädchen, ich werde deine in Ehren erbleichte Haubenlerche schon unter Kontrolle nehmen, dafür interessiert sie mich selber ja viel zu sehr. Außerdem werde ich sehen, daß ich dazu noch ein paar Klassenkameraden ansetzen kann, die im Städtchen wohnen. Zwei oder drei finden sich sicher, denen das auch Spaß macht, oder die eine kleine Aufbesserung der Note in Biologie brauchen — kann im Endspurt auf Ostern ja nie schaden."

„Aber Peter macht bestimmt aus Interesse mit", meinte Christel. „Solche sind immer am zuverlässigsten. Ihr müßt mir nämlich genau aufschreiben, wann und wo ihr sie gesehen habt."

11

„Und was sie speiste, und wann sie das Gegenteil tat, auch?" fragte Wilfried mit Unschuldsmiene.

Darauf endete das wissenschaftliche Gespräch in einer kleinen Balgerei.

*

Die Zusammenarbeit klappte besser, als Christel gedacht hatte, und das war gut, denn darauf war sie angewiesen.

Die Geschwister Christel und Wilfried hatten nämlich — als Kinder des Forstmeisters Waldrich — einen Anmarschweg zur Schule von fast einer Stunde. Wilfried schaffte die Strecke, wenn er ordentlich in die Pedale trat, im Höchstfall in fünfunddreißig Minuten.

Wenn einer von beiden nachmittags zum Sportunterricht mußte, zur Geburtstagsfeier eingeladen war oder sonst etwas vorhatte, lohnte es sich meist nicht, zum Mittagessen nach Hause zu fahren. Dann gingen Christel und Wilfried zu Tante Sophie, und dies nicht ungern, denn bei ihr gab es stets etwas besonders Leckeres, weshalb sie von den Geschwistern liebevoll „Tante Söffken" genannt wurde.

Seit sie die wichtige Aufgabe hatten, den „partiellen Albino" von einer Haubenlerche zu beobachten, fand es vor allem Christel dringend nötig, fast täglich mittags bei Tante Söffken zu bleiben. Und da die liebe alte Dame an den Schläfen so hübsche weiße Haarsträhnen hatte, die im Knoten, zu einer Strähne vereint, wieder zum Vorschein kamen, war wohl nichts naheliegender, als die Haubenlerche auch „Söffken" zu taufen.

Nach drei Wochen schon hatte Christel eine recht ansehnliche Sammlung von Aufzeichnungen für die Gewohnheiten von dem gefiederten „Söffken". Da war zum Beispiel festgestellt worden, daß der Vogel, dessen grob gefleckte Oberbrust das Weibchen verriet, tatsächlich seinem Standort treu blieb und daß er täglich, fast immer zur gleichen Zeit, auf denselben Straßen zu sehen war. Das Tier wurde von seinen Artgenossen gemieden, und wenn es einmal in Gesellschaft war, dann hielt es sich abseits.

Eines Abends, nach Einbruch der Dunkelheit, gab es eine Überraschung:

Der Schauplatz war ein brachliegendes, von Unkraut wild überwuchertes Gelände, auf dem eine Tanne ihre Zweige bis dicht über dem Erdboden ausbreitete. Dieser Baum hütete ein Geheimnis, hinter das Christel durch Zufall gekommen war. Aber sie schwieg beharrlich, obwohl Wilfried und Peter schon ein paarmal gefragt hatten, warum sie mit ihnen hierhergegangen und was eigentlich los sei?

„Es wird ja immer dunkler, Christel", mahnte Peter.

„Wir müssen sogar warten, bis es ganz finster ist", erklärte Christel.

„Aber dann sehen wir doch überhaupt nichts mehr."

„Beruhigt euch, ich habe eine Taschenlampe bei mir."

Endlich, nach weiteren zehn Minuten war es soweit. Christel legte den Zeigefinger an den Mund. „Kommt!" flüsterte sie und tappte voran durch den Schnee der etwa zwanzig Meter entfernten Tanne zu. Dort kniete sie nieder.

Die Jungen folgten und taten dasselbe.

„Pst!" mahnte Christel noch einmal ganz leise und drückte auf die Taschenlampe.

Als das Licht aufblitzte, brachten die beiden Jungen zunächst nur ein verblüfftes „A a h !" heraus.

Vor ihnen, auf schneefreiem Boden, saßen eng aneinandergekuschelt neun Haubenlerchen, darunter ihr Albino! Die Tiere rührten sich nicht, und ehe sie erwacht waren, hatte Christel die Lampe schon wieder ausgeschaltet. Sie erhob sich und ging langsam den Weg zurück. Ihre Begleiter folgten ihr. Keiner sagte ein Wort, um die Vögel nicht zu stören. Erst als sie wieder auf der Straße waren, legten sie los:

„Christel, wie hast du denn bloß den Schlafplatz entdeckt?"

„Das verdanke ich Anka."

„Anka?" fragte Wilfried verwundert, „Tante Söffkens Schäferhund?"

Christel nickte. Dann erklärte sie: „Das kam so: Ich war doch gestern nachmittag bei meiner Freundin Ingrid eingeladen, und dann muß ich immer den Bus nehmen, weil Mutti nicht will, daß ich im Dunkeln mit dem Rad fahre. Und weil mir der Sieben-Uhr-Bus vor der Nase entwischt war, ging ich bis zum nächsten zu Tante Söffken. Es war gerade die Zeit, in der Anka gewöhnt ist, aufs ‚Sträßchen‘ zu gehen, und weil Tante Söffken gerade Besuch hatte, habe ich mich angeboten, Anka spazieren zu führen. Am liebsten geht sie auf dieses Gelände hier. Wahrscheinlich gibt's da viel zu schnüffeln. Und was soll ich euch sagen? Da bleibt Anka plötzlich vor der Tanne stehen, spitzt die Ohren, legt den Kopf nach rechts und links und dann macht sie einen Satz, daß sie mich fast umgerissen hätte, und will unter die Zweige kriechen. Ich ziehe sie schnell zurück und sage: Sitz — Anka! Und dann bin ich selber hingeschlichen und hab' vorsichtig die Zweige angehoben, um festzustellen, was es da so Interessantes gibt — na ja — und da sah ich es! Unser kleines Söffken friedlich vereint mit den Artgenossen in der Heia!"

„Prima!" rief Peter anerkennend, und Wilfried klopfte Christel gönnerhaft auf die Schulter und meinte:

„Hast ein Lob ins Klassenbuch verdient, Mädchen!"

„Habt ihr eigentlich eurem Vater schon davon erzählt?" fragte Peter.

Wilfried nickte. „Na klar, das interessiert ihn doch."

❋

Nach diesem Erlebnis blieb Söffken, die Weißgefiederte, verschwunden. Sollte sie eine Beute des Raubzeugs geworden sein?

Christel, Wilfried und Peter wollten es nicht glauben. Sie hofften, daß sie nur den Standort gewechselt habe. Nun mußten sie wieder auf die Suche gehen. Vielleicht war die kleine Lerche nun, da es anfing zu tauen, aus der Stadt zurückgekehrt ins freie Land, wo sie ohnehin den Sommer zu verbringen pflegte.

Christel schlug vor, nacheinander alle Zugangsstraßen zu überwachen. Natürlich schauten sie und ihr Bruder sich auch aufmerksam beiderseits der Landstraße um, wenn sie morgens und nachmittags auf dem Schulweg waren. Hinter den Bäumen, die zu beiden Seiten des Weges standen, zog sich eine dichte Weißdornhecke als dunkler Streifen durchs Land.

Heute hatte sich Peter nach Schulschluß den Geschwistern angeschlossen, um sie, wie versprochen, draußen im Forsthaus zu besuchen. Er war doch gespannt, wer denn wohl dieser würdige Herr namens „Polko" sein mochte.

Sie gingen nicht über die Landstraße, sondern hatten einen ausgefahrenen Feldweg gewählt, weil sie wußten, daß die Felder hier im Sommer von vielen Lerchen bevölkert waren.

Um sich recht gründlich nach „Söffken" umsehen zu können, gingen sie zu Fuß und schoben ihre Fahrräder neben sich her.

Es huschte und flatterte hier überall. Es schien, als ob sie an diesem Weg zu einem Stelldichein zusammengekommen seien. Die Gesuchte hatten die drei jedoch noch nicht gefunden.

Dafür sollten sie eine überaus seltene Entdeckung machen. Christel war etwas vorausgegangen und beobachtete mehrere Kohlmeisen, die futtersuchend durchs Gebüsch hüpften.

„Ihr armen Tiere!" sagte sie, „wie müßt ihr euch anstrengen, um genug zu finden, daß ihr nicht verhungert. Aber paßt auf, ich hab' euch was mitgebracht."

Sie holte aus ihrer Manteltasche einige mit Talg gefüllte Walnußschalenhälften, die mit Aufhängefäden versehen waren.

In kurzer Zeit baumelten die Leckerbissen im Gezweig. Für Christel war es ein Vergnügen zu beobachten, wie sich die Vögel über die unerwartete Spende hermachten.

Während die drei noch eine Weile dem Treiben zuschauten, fiel auf der anderen Seite ein Trupp allerliebster Zwerge ein. Ihr Rücken war olivgrün, die Brust hellgrau, der Scheitel safrangelb, ins Goldene übergehend und mit einem schwarzen Streifen eingefaßt. Die Schwingen und Schwanzfedern schimmerten olivbraun.

„Sisisi!" wisperten sie in einem fort, wobei sie emsig die Zweige umflatterten, sich auf deren Enden wiegten oder im Schwirrflug davor rüttelten, um eine Kerbtierlarve oder sonst etwas Freßbares abzusuchen.

15

Peter hatte die hübschen, zutraulichen Vögel zuerst gesehen.

„Was sind denn das für Vögel?" fragte er.

„Goldhähnchen!" rief Christel erfreut. „Wintergoldhähnchen", fügte sie erklärend hinzu, „die Sommergoldhähnchen sind Zugvögel, aber die hier bleiben uns treu, wenn's kalt wird. Dann hausen sie ganz oben in den Spitzen der Nadelbäume. An den Feldrainen hab' ich sie noch nie gesehen. Du siehst, Peter", Christel zeigte auf die lustige, bunte, schwirrende Gesellschaft, „wir bieten dir was!"

„Die sind aber gar nicht scheu", stellte Peter erstaunt fest.

„Sie kennen dich eben noch nicht", erklärte Wilfried grinsend, und nachdem der Freund ihn in die Seite geknufft hatte, ergänzte er: „Ich meine natürlich, die Schlechtigkeit der Menschheit im allgemeinen ist ihnen noch nicht bekannt."

„Da — weg sind sie wieder!" rief Peter bedauernd. „Wahrscheinlich haben sie verstanden, was du gesagt hast."

In der Hoffnung, die hübschen, bunten Vögel noch einmal zu sehen, wandte Peter sich vom Weg ab und stapfte durch eine Lücke in der Weißdornhecke auf den von der Schneeschmelze aufgeweichten Acker. Plötzlich rief er aufgeregt: „Wilfried, Christel, kommt schnell her! Oh, was ich gefunden habe!"

Gleich darauf umstanden die drei einen riesigen hellgrauen, rostrot getupften und oberseits schwarz gebänderten Vogel.

„Ein alter Trappenhahn", stellte Wilfried fest, „verendet!" Er packte das Tier an den Füßen und hob es mit Anstrengung hoch. „Donnerwetter, der Bursche hat mindestens seine fünfzehn Kilo, wenn nicht mehr."

„Daß so schwere Kerle überhaupt fliegen können", wunderte sich Peter.

„Trappen sollen die schwersten Flugvögel sein, die es heute noch gibt", sagte Wilfried.

Polko

Als sie durch den Vorgarten des Forsthauses gingen, hörten sie eine krächzende Altfrauenstimme hinter dem Hause rufen:

„Herr Förster! Herr Förster! Nu sehn Sie sich doch bloß die Bescherung an. So eine Ungezogenheit — nee, nee — aber sowas!"

Dann wurde ein Fenster geöffnet, und die Stimme von Forstmeister Waldrich fragte: „Was ist denn passiert, Mutter Buchholz?"

„Da hat doch ein Taugenichts meine Handtasche am Fahrrad untersucht, eine Tüte mit Bandnudeln herausgerissen und auf die Erde gestreut. Halten Sie das für möglich, Herr Förster?"

„Der Streich geht entschieden zu weit", pflichtete ihr dieser bei. „Schade, daß Sie den Bengel nicht erwischt haben. — Lassen Sie die Nudeln liegen, wir werden sie zusammenkehren und ins Futter schütten. Hier, nehmen Sie Ihre Mark für den Holzleseschein zurück."

Christel stieß ihren Bruder in die Seite und kniff ein Auge zu. „Dreimal darfst du raten, wer der — Bengel war, der die Nudeltüte der alten Buchholz zerrissen hat."

„Na, ich danke!" entrüstete sich Peter. „Wer macht denn bei euch solche unfeinen Witze?"

„Polko natürlich!" erklärte Wilfried.

„Vati!" rief Christel, als sie und die Jungen das Haus betraten, „Vati, stell dir vor, Söffken ist weg!"

„Was? Tante Söffken? Einfach spurlos verschwunden?" staunte der Vater, aber in seinen Augenwinkeln erschienen dabei unzählige vergnügte Fältchen.

„Ach — Tante Söffken doch nicht!" wehrte Christel ungeduldig ab. „Du weißt ganz genau, wen ich meine. Ich hatte sie schon seit ein paar Tagen nicht mehr in ihrer Stamm-Straße gesehen, darum war ich heute früh eine Viertelstunde eher zur Schule gefahren, um auf ihrem Schlafplatz nachzugucken. Aber da waren nur die anderen — Söffken fehlte."

„Ja, wo kann sie denn geblieben sein?" Die Frage klang nicht sonderlich verwundert. Wilfried wurde stutzig. Forschend blickte er dem Vater ins Gesicht, aber dem Ausdruck war nicht zu entnehmen, ob der Forstmeister etwas wußte.

Christel hob die Schultern. „Das weiß ich eben nicht. Wir sind den Weg hierher über den Feldweg gegangen, weißt du, da wo Heitmüllers im vorigen Jahr die großen Roggenschläge hatten. Da sind doch immer so viele Lerchen. Ich dachte, vielleicht treffen wir unser Söffken dort. Aber sie war nicht da. Womöglich hat sie nun doch die Katze geholt."

„Das wäre schade", meinte der Forstmeister, „aber nicht zu ändern." Und dann fügte er unvermittelt hinzu: „Kommt mal mit, ich habe schon auf euch gewartet, um euch was zu zeigen."

Als sie aus dem Haus traten, erschrak Peter auf einmal heftig. Er fühlte einen Luftzug an seinem Kopf und hörte gleichzeitig dicht über sich ein lautes, heiseres „Kraaa"!

Gleich darauf sah er, wie sich ein großer Vogel auf den Briefkasten neben dem Hauseingang setzte und mit dem kräftigen Schnabel gegen den Klingelknopf drückte. Und als daraufhin

Frau Waldrich in der Tür erschien, zog der schwarzgraue Vogel einen Brief aus dem Kasten, überreichte ihn ihr und flog wieder davon.

Peter war sprachlos. Christel und Wilfried lachten.

„Ja, da staunst du, was?" fragte Christel. „Das ist Polko."

Peter sah die Geschwister an mit einer Miene, als hätten sie ihm eben einen Zaubertrick vorgemacht, hinter dessen Geheimnis er kommen wolle.

„Das hätte ich einer Krähe nicht zugetraut. Das grenzt ja an Überlegung."

Sie gingen hinter dem Förster her über den Hof in einen großen Garten, der feldeinwärts zaunlos war. Nur ein Kabelweg zog die Grenze zwischen Garten und Weideland.

Hier stand eine riesige Kaffeemütze aus Drahtgeflecht, ein Vogelkäfig ohne Boden auf einer Schicht Roßäpfel, die auch am Rain in auffallender Menge verstreut lagen.

„Wozu denn das?" fragte Peter erstaunt.

„Wir unterhalten im Winter immer Futterplätze für Haubenlerchen, die im Frühjahr in der Umgebung brüten", erklärte ihm der Förster. „Unser braver Hans liefert sie täglich frisch. Sie sind doch nun mal die Lieblingsspeise der Haubenlerchen, und wo finden sie sowas heute noch."

„Eins — zwei — drei — vier —", fing Peter an, die Haubenlerchen in dem Käfig zu zählen.

„Da ist sie ja!" rief plötzlich Christel. „Unser Söffken! — Wie kommt die denn hierher, Vati? Hast du sie unter unseren Stammgästen entdeckt?"

Der Vater schüttelte lächelnd den Kopf. „Nachdem du mir ihren Schlafplatz verraten hattest, habe ich sie von einem meiner Forsteleven einfangen lassen — damit die Katz' sie nicht holt."

„Wie lange willst du sie denn eingesperrt halten?" fragte Wilfried.

„Einige Tage werden genügen, um den Vogel nach der Beringung an die neue Umgebung zu gewöhnen. Und die anderen Lerchen haben wir mitgenommen, damit euer Söffken die vorübergehende Gefangenschaft nicht so empfindet und standorttreu wird. Eines Nachts, wenn sie unter dem Kiefernbusch schläft, heben wir dann leise die Voliere ab und schaffen sie fort. In der Morgendämmerung werden ihre Artgenossen sie schon anlocken. Ich hoffe jedenfalls, daß der Versuch gelingt, denn es interessiert mich, ob sich bei einer Paarung der Farbstoffmangel vererbt oder nicht."

In diesem Augenblick hörten sie Mutter Waldrich vom Garten her ausrufen: „Polko! — Na warte, du Schlingel!"

Sie schauten sich um und Peter lief rasch zurück. Was mochte der schlaue Vogel denn nun wohl machen?

Frau Waldrich war beim Abnehmen von Wäsche. Polko, der offenbar den Ehrgeiz hatte, sich nützlich zu machen, balancierte auf dem entgegengesetzten Ende der straffgespannten Leine von einem Kleidungsstück zum anderen, um Frauchen das Abziehen der Klammern zu ersparen. Daß dabei die Wäsche auf die Erde fiel, hielt er nicht für beachtenswert.

„Ich habe es ihm schon oft verboten, er macht es aber immer wieder", sagte sie ein wenig ärgerlich. „Nun komm, und begrüße erst mal unseren Gast."

Polko flog ihr auf die Schulter und streckte einen Fuß vor, mit dem er Peters dargebotenen rechten Zeigefinger umkrallte.

„Na, wie sagt man?"

„Daag! — Daag!"

Mit Wilfried wiederholte er dasselbe.

„Das hast du brav gemacht, Polko!" lobte ihn Wilfried. „Komm, jetzt kraulen wir mal."

Der große Vogel verstand, wechselte hinüber auf Wilfrieds Schulter und ließ sich sein grau und blauschwarz schimmerndes Gefieder streicheln. Das mochte er so gern, daß er sich an den Hals des Jungen schmiegte und dabei voll Wohlbehagen immerzu „Gorr, gorr, gorr" machte.

Doch plötzlich verstummte Polko. Sein Blick richtete sich angriffsbereit auf ein rostrot- und schwarzgeflecktes Wesen, und ehe Wilfried die Krähe festhalten konnte, war sie entwischt und hinter der hausfremden Katze her, die schleunigst Reißaus über die Hofmauer nehmen wollte. Sie hatte Polkos scharfe Schnabelhiebe schon öfter zu spüren bekommen und trug kein Verlangen danach. Aber sie erreichte nur mit zwei Pfoten knapp den Sims und strengte sich an, ihr Hinterteil hochzuziehen. In diesem Augenblick kniff Polko unbarmherzig in ihren Schwanz und hielt sich flatternd daran fest, bis Wilfried ihn auf das jammervolle Miau-Geschrei hin zurückrief.

*

Die Schneeschmelze war vorbei. Zwischen verrottetem Laub und trockenen Stengeln hatte sich der Huflattich ans Licht gedrängt. Vogelmiere und Hirtentäschel standen bereit, den Vögeln nach langem Winter zartes Grün und Samen zu spenden. Der abgelegene Kabelweg hinter dem Rosenhof glich einem Blütenteppich; er war übersät von den himmelblauen Sternen der Szilla, und die Bienen hatten alle Flügel, Beine und Rüssel voll zu tun.

Dem Förster war es geglückt, die weiße Haubenlerche anzusiedeln, und ein lediges Männchen machte ihr bereits eifrig den Hof.

Söffken zeigte sich jedoch noch nicht davon beeindruckt. Sie lief, ruhig am Boden pickend, umher. Auch der Balztanz ließ sie kalt. Dabei trug das Männchen den Körper waagerecht, den Kopf nach vorn geduckt, den Schwanz steil und fächerartig ausgebreitet. Mit leicht gehobenen, gespreizten Schwingen trippelte es wie toll um das spröde Weibchen herum.

Christel und Wilfried beobachteten die Vögel in jeder freien Minute, denn sie hatten um eine Tafel Schokolade gewettet, wer später das Nest zuerst finden werde.

Aber der Zufall half jemand anderem.

Zum Wochenende war Besuch ins Försterhaus gekommen, mit einer Tochter in Christels Alter — Antje hieß sie. Es war ein herrlicher Frühlingssonntag und der Förster wollte seine Gäste mit dem Landauer durch sein Revier fahren. Da der Braune seine sonntägliche Haferration noch nicht gefressen hatte, verzögerte sich die Abfahrt, und um sich die Zeit zu vertreiben, schlenderten Christel und Antje durch den Garten nach dem Wiesengrund.

Plötzlich blieb Antje stehen und rief: „Guck mal, Christel,

der komische Vogel! Ach, schade, jetzt ist er im Gras verschwunden."

„Wie sah er denn aus?" fragte Christel.

Antje lachte. „Er sah aus, als ob dem Herrgott die Farben nicht gereicht hätten, als er ihn anmalte."

Christel durchzuckte eine Ahnung. Sollte etwa...

„Da — hinter einem Maulwurfshügel!" flüsterte Antje.

Wahrhaftig, es war Söffken, und — sie trug etwas in ihrem Schnabel! Leise und vorsichtig schlich Christel auf die Stelle zu.

„Was hast du denn, Christel?" fragte Antje erstaunt, „suchst du etwas?"

„Pst! Ich darf sie jetzt nicht aus den Augen verlieren."

Christel blieb stehen und verfolgte unverwandt das drollige Geschöpf, das mit hochgerecktem Hals und gesträubtem Schopf, bald nach rechts, bald nach links äugend, sich immer weiter entfernte.

So achtsam wie sich Haubenlerchen beim Aufsuchen des Brutplatzes verhalten, so unvernünftig sind sie beim Abflug. Das wußte Christel. Jetzt hieß es also nur, sich blitzschnell einen bestimmten Punkt zu merken, wo der Vogel aufflog.

Er war nicht mehr zu sehen.

Minuten verstrichen. Christel berichtete inzwischen ihrem Gast rasch mit ein paar leisen Worten das Wichtigste über die kleine Albino-Haubenlerche. Dann blickten beide schweigend und wie gebannt in den Winkel des Gartens, wo Söffken verschwunden war.

Nicht weit von ihnen, auf einem Grenzstein, saß das Männchen und ahmte die Singdrossel und den Star nach.

Da flatterte drüben etwas davon.

„Dort!" rief Christel. „Draufzu, Antje!" Und wirklich fanden sie die Vogelwiege unter einem Grasbüschel verborgen, in einer Bodenvertiefung angelegt. Sie bestand aus geschickt miteinander verbundenen holzigen Überbleibseln von Unkräutern und Würzelchen. Die Innenflächen waren mit trockenen Gräsern, unten sogar mit Federn ausgepolstert, was ganz gegen die Bauweise der Haubenlerchen-Sitte verstieß.

Wilfried machte ein langes Gesicht, als er von der Entdeckung hörte.

„Nun kriegt natürlich Antje die Schokolade", entschied Christel großzügig.

Die Eiablage wurde nun genau registriert. Als vier der rötlichweißen, aschgrau und gelbbraun gepunkteten und gefleckten Eier mit den Spitzen nach innen im Nest lagen, fing die kleine weißgefiederte Haubenlerche an zu brüten.

An einem kühlen, regnerischen Tag kam Christel aufgeregt zu ihrem Vater gelaufen. „Stell dir vor, Söffken hat ihr Gelege verlassen! So eine Rabenmutter! Womöglich will sie keine Jungen."

„Ach wo!" beruhigte sie der Vater. „Haubenlerchen sind robust. Das können die Eier schon vertragen."

*

Erst gegen Ende der Brutzeit wurde Söffken seßhafter. Sie verschwand nicht mehr, wenn jemand am Nest vorbeiging, sondern zog nur den Kopf tiefer als sonst ein. Der Förster hatte Christel und Wilfried geraten, das Tier jetzt möglichst wenig zu stören.

An einem dieser Tage hatte Wilfried den Hans gesattelt, um nach der langen Winterzeit endlich einmal wieder einen Ritt durch den Wald und die grünenden Felder zu machen. Polko schloß sich, wie er es gewöhnt war, dem Ausritt an. Er setzte sich vor den Sattel und bestimmte das Tempo, indem er, wenn ihm die Gangart zu langsam erschien, mit dem Schnabel an der Pferdemähne zerrte.

Doch kaum hatten sie den Kabelweg erreicht, als Polko auf einmal mit lautem Geschrei abstrich, geradewegs auf das Lerchennest zu, vor dem Willi Schulze hockte, ein Junge aus der Nachbarschaft, den Wilfried schon ein paarmal beim Nestplündern erwischt hatte. Auch Polko war nicht gut auf Willi zu sprechen, der ihn einmal mit einer Rute geschlagen hatte, und so krallte sich die Krähe in den Haarschopf des Jungen und ohrfeigte ihn mit beiden Schwingen. Dazu hieb sie mit dem scharfen Schnabel auf ihn ein.

„Au! Au!" brüllte Willi und fuchtelte mit beiden Armen über dem Kopf, um den Vogel loszuwerden.

Da kam auch schon Wilfried angaloppiert.

„Wie hast du denn wieder herausgekriegt, daß hier ein Vogelnest ist?" herrschte er den Jungen wütend an.

„Ich habe euch ein paarmal beobachtet, und da wollte ich bloß mal gucken, was es hier gibt."

„Du hast auf unserer Wiese nichts zu suchen. Ertappe ich dich nochmal, dann lasse ich die Hunde frei. Wehe, wenn du das Nest anrührst! Jetzt verschwinde, sonst setzt es noch was." Wilfried drohte mit der Reitgerte vor Willis Gesicht.

Der Junge rannte davon. Doch als er die Straße erreicht hatte, schüttelte er die geballte Faust und schrie: „Daran sollst du denken! — Du Angeber! — Du Mistkerl!"

Wilfried war nun ernstlich in Sorge um Söffken und ihre Nachkommenschaft. Also ritt er zurück, sattelte den Braunen wieder ab und ging zum Vater ins Büro.

„Ich muß morgen doch mal mit Willis Eltern sprechen", meinte der Förster. „Ihr beide, Christel und du, müßt in der nächsten Zeit bei Einbruch der Dämmerung gut aufpassen. Am Tage ist ja Polko, wie es sich gezeigt hat, ein guter Wächter."

Christel und Wilfried wechselten sich an diesem Abend in der heimlichen Beobachtung von Söffkens Brutplatz ab. Doch, da bis Mitternacht nichts passierte, gingen sie schlafen.

Als Christel aber am nächsten Morgen, ehe sie zur Schule fuhr, nach dem Nest sah, war etwas Fürchtbares geschehen:

Die weiße Lerche lag mit ausgebreiteten Schwingen leblos auf dem Gelege. Ihre Haube war mit Blut verkrustet.

Auf dem Grenzstein saß verlassen und stumm das sonst so sangesfrohe Lerchenmännchen.

Fassungslos ließ das Mädchen sich auf die Knie fallen und starrte auf das tote kleine Söffken. Es dauerte eine ganze Weile, bis Christel begriff, was hier geschehen war. Dann schlug sie die Hände vors Gesicht und schluchzte laut auf.

Wilfried rief von der Straße her, sie solle sich beeilen, sie kämen sonst zu spät in die Schule. Aber Christel hörte es nicht. Erst als der Bruder den Kabelweg entlang geradelt kam, sah sie auf.

„Wilfried!" rief sie ihm mit tränenerstickter Stimme entgegen. „Komm mal her! Schnell!"

„Verdammt!" murmelte der Junge. „Das ist Mord, ganz gemeiner Mord! Der Täter muß mit einer Taschenlampe herangeschlichen sein. Er hat das Tier durch Lichtstrahl geblendet und ihm mit einem spitzen Gegenstand die Schädeldecke zertrümmert."

„Söffken muß sofort tot gewesen sein", meinte Christel wie zum Trost für sich selbst, „denn sonst wäre sie nicht auf ihrem Gelege geblieben."

„Raubzeug scheidet aus", stellte Wilfried fest. „Ein Biß oder Brantenriß, eine Kralle oder ein Krummschnabel hinterlassen sichtbare Spuren. Hier ist aber das Gefieder überhaupt nicht verletzt. Außerdem würde Raubzeug seine Beute ja mitnehmen." In diesem Augenblick fiel ihm seine Begegnung mit Willi Schulze ein, und ehe er den schrecklichen Verdacht noch äußern konnte, sprach Christel ihn schon aus.

„Das kann nur der Willi gewesen sein", murmelte sie. „Oh, dieses Biest — dieser Schinder! Na warte!" Plötzlich sprang sie mit einem Satz auf die Füße. „Du, Wilfried!" rief sie mit zornsprühenden Augen, „den kann man überhaupt anzeigen, den Willi, denn Haubenlerchen stehen doch unter Naturschutz, nicht? Na, und so ein Albino natürlich erst recht."

„Ja — ich weiß nicht", sagte Wilfried unsicher, „wir wollen erst mal Vati fragen."

Forstmeister Waldrich wollte gerade ins Revier gehen, weil einer seiner Eleven ihm von einem gerissenen Reh berichtet hatte, das vermutlich einem wildernden Hund zum Opfer gefallen war. Dem mußte sofort nachgegangen werden, denn wenn der Sünder nicht bald erwischt wurde, konnte das schlimme Folgen für den Wildbestand haben. Und jetzt berichteten ihm seine Kinder auch noch von dem Frevel ausgerechnet an dieser Haubenlerche, an der man so interessante Vererbungsstudien hätte treiben können.

„Wenn das wirklich der Willi war, dann gnade ihm Gott!" sagte der Förster ärgerlich. „Ich komme sowieso am Haus der Schulzes vorbei, da werde ich gleich mal mit seinen Eltern reden."

Am Nachmittag kam Willi ins Forstbüro. Er machte aber durchaus nicht den Eindruck, als habe er ein schlechtes Gewissen.

„Meine Mutter hat mir erzählt, daß Sie bei uns waren, Herr Förster, und ich möchte Ihnen gleich sagen, daß ich die weiße Lerche nicht umgebracht habe."

„So, so — das soll ich dir glauben? Warum hast du dann Wilfried gedroht: ‚Du wirst daran denken!'?"

„Das habe ich nicht ernstgemeint. Ich war bloß wütend, weil er mit der Reitpeitsche gedroht hat."

„Hinterher kann das jeder behaupten."

Christel kam herein. Sie hatte gehört, daß Willi gekommen war, und blickte den Nachbarsjungen, ohne ihn zu begrüßen, nur schweigend und vorwurfsvoll an.

„Ich hab's nicht getan, Christel, bestimmt nicht!" rief Willi heftig. „Hier, die Hand darauf!"

Aber Christel ergriff die ausgestreckte Rechte nicht, sondern warf nur einen kurzen Blick darauf und sah dann fragend ihren Vater an.

Brennendrot vor Scham zog Willi seine Hand zurück.

„Tja, mein Junge", sagte der Förster ernst, „nach allem, was du dir bisher schon geleistet hast an Nestplünderungen und ähnlichen Untaten, brauchst du dich nicht zu wundern, daß man dir auch sowas zutraut. Wir wollen bei dir, wie bei jedem — Angeklagten, erst einmal annehmen, daß du es nicht warst. Aber wir forschen weiter, darauf kannst du dich verlassen. Und wenn wir herauskriegen, daß du es doch warst und jetzt geleugnet hast, dann kannst du dich auf was gefaßt machen."

Willi hatte sich das mit gesenktem Kopf angehört. Er blieb noch einen Augenblick so stehen, dann ging er langsam zur Tür. Die Klinke schon in der Hand sagte er leise, ohne sich umzudrehen: „Und ich werde nicht eher Ruhe geben, bis ich herausgefunden habe, wer's wirklich war."

*

Ein paar Tage später hörte der Förster anhaltend aufgeregtes Krächzen von Polko im Garten. Da mußte doch etwas los sein. Der Förster schaute aus dem Fenster, und wirklich entdeckte er einen Halbwüchsigen, der sich vom Kabelweg her in verdächtiger Weise einer Schar Entenküken näherte.

Wenige Minuten später hatte er den Burschen von hinten angeschlichen und beim Kragen gepackt.

Er leugnete hartnäckig, in böser Absicht eingedrungen zu sein. Allzugroße Tierliebe hätte ihn veranlaßt, sich die allerliebsten Entenjungen aus nächster Nähe anzuschauen.

Der Förster verwarnte ihn und ließ ihn laufen.

Später stellte sich allerdings heraus, daß der junge Kerl schon einmal wegen Wilddieberei angezeigt worden war.

Polko, die kluge Nebelkrähe, betätigte sich im Forsthaus nicht nur als aufmerksamer Wächter, Briefträger und „Helfer" bei der Wäsche, er hatte auch das Amt übernommen, jeden Mittag auf dem Hof die Glocke zu läuten, indem er mit dem Schnabel den Klöppel in Bewegung setzte. Diese Aufgabe erfüllte er natürlich nicht uneigennützig, denn auf sein Geläut hin bekamen nicht nur die Menschen von Frauchen ihr Futter, sondern auch er selber — auf einem Teller serviert, versteht sich, wie sich das für ein so nützliches Familienmitglied wie Polko gehörte.

Heute brachte Christel ihm die Mahlzeit auf den Hof. Es gab Graupen mit Speck. Polko hatte es sogleich auf die Speckwürfel abgesehen. O weh, die waren aber noch zu heiß. Da konnte man sich Zunge und Gaumen verbrühen.

Was tun? Polko überlegte nicht lange. Mit der Schnabelspitze holte er vorsichtig einen Happen nach dem andern heraus, tauchte jeden in eine Regenpfütze, bis er genügend abgekühlt war und verspeiste ihn dann mit Wohlbehagen.

Christel wollte erst ihren Augen nicht trauen, als sie das sah.

„Na, du bist vielleicht ein erfinderisches Stückchen Federvieh!" meinte sie lachend.

Am gleichen Nachmittag kam Willi auf den Hof des Forsthauses gerannt und läutete Sturm, weil niemand im Büro war. Als der

Förster mit seinem Gehilfen aus dem Stall trat, rief Willi ihm atemlos entgegen:

„Herr Förster, eben habe ich den Reimann mit dem Fahrrad auf dem Kabelweg in Richtung Finsterbusch gesehen. Polko flog hinter ihm her. Erst umkreiste er ein paarmal Reimanns Kopf, und dann setzte er sich auf den Gepäckträger. Und als Reimann sich umdrehte und die Krähe wegscheuchen wollte, hat sie ihn so in die Hand gehackt, daß Reimann mit dem Rad umgekippt ist.'

„Reimann? Das ist doch der junge Mann, der sich so sehr für die Entenküken interessierte", sagte der Förster. „Donnerwetter, sollte der sie jetzt, während meine Frau nicht im Hause ist, gestohlen haben?"

Mit langen Schritten lief er in den Garten; der Forstgehilfe und Willi hinterdrein.

Schon von weitem konnten sie sehen, daß die Küken zwar noch an ihrem Wasserbecken saßen, sich aber auffallend regungslos verhielten, trotz der eilig näherkommenden Menschen.

Plötzlich blieb der Förster stehen und starrte auf die Erde. Gleich darauf sahen auch der Gehilfe und Willi das Schreckliche: die Entlein lagen tot auf dem aufgeweichten Boden, wo sie sich kurz zuvor noch munter getummelt hatten. Auf jedem Köpfchen klebte frisches Blut.

Langsam kehrten der Förster und sein Gehilfe zum Hof zurück und unterhielten sich lebhaft über eine strengere Auslegung der Natur- und Tierschutzbestimmungen. Willi dagegen blieb an dem Teich stehen. Es war ihm etwas aufgefallen, was den beiden Männern in ihrer Empörung entgangen war: Er hatte die untrügliche Spur des Mörders entdeckt.

Willi ging langsam und gebückt an der Stelle hin und her, wo die armen kleinen Entenküken lagen, und untersuchte sorgfältig den Boden um sie herum und zwischen ihnen.

Ja, da war wohl kein Zweifel mehr möglich. Es gab hier nur eine Art von Abdrücken. Willi bekam Herzklopfen vor Aufregung. Er überlegte nicht erst, ob sein Verdacht vielleicht ganz sinnlos war, sondern rannte, so schnell er konnte, hinter den Männern her.

„Herr Förster! — Herr Förster! Ich hab' was gesehen — ich weiß jetzt..."

Kurze Zeit später standen alle drei wieder um die Unglücksstelle.

„Ja, Willi kann recht haben", meinte der Förster.

„Ja — aber warum sollte er das gemacht haben?" fragte der Forstgehilfe kopfschüttelnd. „Aus bloßer Lust am Morden? Eher sieht das hier nach einem Racheakt aus. Zuzutrauen wäre ihm ja sowas, aber dafür müßte doch ein Grund vorhanden sein."

„Hm", machte der Förster nachdenklich, „vielleicht — Eifersucht?"

Als Wilfried und Christel bald darauf aus der Schule kamen, führte der Vater sie an den Ententeich und zeigte wortlos auf die leblosen, gelben Körperchen.

„Mein Gott, wie schrecklich!" rief Christel fassungslos. „Genauso umgebracht wie Söffken!"

Wilfried stemmte empört die geballten Fäuste in die Seiten. „Nun sag bloß, Vati, findest du eine Erklärung dafür?"

Der Vater nickte: „Willi hat sie gefunden."

In diesem Augenblick wurde Christels Haar durch einen leichten Luftzug nach vorn geweht, sie fühlte einen schwachen Druck auf ihrer Schulter und mit einem schmeichelnden „Gorr-gorr!" drückte sich ein seiden gefiederter Kopf an ihr Gesicht.

Das Mädchen achtete nicht darauf. Es war zu erschüttert von dem Anblick der toten Küken. Nur seine Hand griff mechanisch kraulend in die Brustfedern.

„Weißt du eigentlich, wer auf deiner Schulter sitzt?" fragte der Förster.

Christels Kopf fuhr herum, und dann blickte sie verwundert den Vater an. „Aber Vati, was willst du denn? Das ist doch Polko! Wer denn sonst?"

„Ja, das ist Polko!" Der Förster nickte, und nach einer kleinen Pause fügte er mit einem Seufzer hinzu: „Polko — der Vogelmörder!"

„Was?" rief Christel und stieß im Schreck unwillkürlich so heftig gegen die Nebelkrähe, daß sie kräftig mit den Flügeln schlagen mußte, um ihren Sturz dicht über dem Boden noch abzufangen. Mit beleidigt langgezogenem „Kraaa" strich sie ab und setzte sich auf den nächsten Baum.

Wilfried hockte bereits am Teich und betrachtete eingehend die vielen Abdrücke der Krähenfüße im weichen feuchten Ufersand.

„Tatsächlich, das kann nur Polko gewesen sein", sagte er. „Hier sieht man sogar, daß dem Täter die hintere Kralle am linken Fuß fehlt, die ich ihm neulich mit der Haustür abgeklemmt habe."

„Was machen wir denn nun, Vati?" fragte Christel ratlos. „Ob es Zweck hat, Polko mit dem Schnabel auf seine Untat zu stupsen und ihn dann zu verdreschen?"

Der Förster schüttelte lächelnd den Kopf. „Ich glaube nicht, Christel. Ein Vogel kann noch so intelligent sein, wie einen Hund kann man ihn deshalb noch lange nicht behandeln. Vielleicht würde Polko auch begreifen, weshalb du ihn verhaust, aber er würde gewiß nicht die Schlußfolgerung daraus ziehen, er dürfe in Zukunft niemanden mehr umbringen. Im Gegenteil, sein kleines Krähengehirn hat nur begriffen, daß ihr euch in letzter Zeit mehr um die Haubenlerche und die Entenküken gekümmert habt als um ihn, also mußten die Tiere beseitigt werden — basta! Wenn er dafür auch noch bestraft wird, dann haßt er später alles, womit er eure Zuneigung teilen soll, erst recht."

„Also, praktisch sind wir selber daran schuld", meinte Wilfried nachdenklich.

Der Förster nickte. „Das sind wir auch. Es macht zwar immer Spaß, die Klugheit eines Tieres zu fördern, oder richtiger gesagt: seinen ausgeprägten Sinn für Vorteile — also seinen Eigennutz. Aber damit löst man es aus seiner natürlichen Umwelt heraus, und dann handelt es auch nicht mehr natürlich. Wäre Polko eine Krähe unter Krähen geblieben, hätte es sich den Teufel um unser Interesse für die Lerche und die Küken geschert."

„Weiß Mutti schon, was Polko gemacht hat?" fragte Christel bedrückt.

„Noch nicht. Sie ist zum Bauern gefahren, um die bestellten

30

Hühnerküken abzuholen. — Und sie hatte sich schon so auf ihren neuen Geflügelhof gefreut."

„Auwei!" Christel schlug erschrocken die Hand vor den Mund. „Wie können wir bloß verhindern, Vati, daß Polko die Hühnerküken auch totmacht?"

„Indem wir ihn in einen Käfig sperren — was übrigens nach der Freiheit, die er hier genossen hat, die größte Rohheit wäre, die man ihm antun kann."

„Und wenn man ihn verjagte?" schlug Wilfried vor, „meinst du nicht, Vati, daß Polko sich dann einem Krähenschwarm anschließen würde?"

Der Förster schüttelte den Kopf. „Das glaube ich nicht. Er war ja noch kaum flügge, als Christel ihn brachte, also kennt er gar kein anderes Leben als das unter Menschen."

„Was schlägst du also vor?" fragte Wilfried.

Der Vater hob bedauernd die Schultern. „Ich halte es für das Beste, und zwar für alle einschließlich Polko, wenn ich mit ihm dasselbe mache, was er mit der Lerche und den Küken gemacht hat, schnell und ohne Quälerei — mit der Flinte."

„Aber nicht jetzt, Vati, nicht jetzt!" rief Christel und hielt sich die Ohren zu, als erwarte sie schon im nächsten Augenblick den Knall.

„Nein, nein", sagte der Förster und streichelte tröstend über Christels Haar, „morgen früh, wenn ihr in der Schule seid."

Als hätte Polko die Unterhaltung verstanden, erhob er sich plötzlich von dem Ast, von dem aus er die drei unentwegt beäugt hatte, und strich mit ausholenden Flügelschlägen und langgezogenem „Kraaa — kraaa — kraaa —" über den Kabelweg und die Wiese zum Wald hin ab.

Strolch

Ein Glück, daß wenige Tage später Ostern war und Christel und Wilfried zufriedenstellende Zeugnisse heimbrachten. So schickte der Förster seine Kinder in den Ferien zu Verwandten in die Großstadt, um sie durch neue und interessante Eindrücke die traurigen Erlebnisse mit Söffken, der Haubenlerche, und Polko, der Nebelkrähe, vergessen zu lassen.

Danach gab es eine neue Klasse und wiederum etwas schwierigere Aufgaben als in der vorigen, es gab neue Lehrer und Mitschüler und eines Tages auch eine neue Begegnung mit einem kleinen Wildling, der von Natur auch nicht gerade den Umgang mit Menschen zu suchen pflegt.

Es war Ende Mai und ein herrlicher Tag, als Wilfried und Christel im Wald unterwegs waren, um zwei Jungteckel zu suchen. Der Vater hatte sie kürzlich gekauft, um sie für die Fuchsjagd auszubilden, aber jetzt waren sie noch übermütige Kleinkinder und hatten einen unbewachten Augenblick genutzt, um auf Entdeckungsreise zu gehen.

Die Geschwister suchten getrennt, gingen rufend und pfeifend

durch die Jagen; und als sie wieder einmal in einer Schneise zu-
sammentrafen und feststellten, daß sie die kleinen Biester noch
nicht gefunden hatten, horchte Christel plötzlich auf.

„Da! Hast du gehört?"

Aus weiter Entfernung kam ein kurzes, schmerzhaftes Aufjaulen.

„Schnell, Wilfried, da passiert ihnen was!"

Die beiden rannten, so rasch es im frisch und üppig sprießenden
Unterholz möglich war, quer durch das nächste Jagen in die Richtung, aus der sie das Heulen gehört hatten.

Wilfried zwängte sich durch eine hohe Brombeerhecke, die den
Weg zum Nachbardorf säumte, und dort sah er einen Jungen von
etwa neun Jahren stehen, der eben mit einem Stein in der Hand
ausholte, um ihn einem Tier nachzuwerfen, das sich humpelnd und
jämmerlich kläffend hinter einem Baum zu verstecken suchte.

Mit einem Satz war Wilfried bei dem Jungen und hatte ihn am
Kragen gepackt.

„Dir hat wohl lange die Hinterfront nicht gebrannt, du Lause-
bengel!?" schrie er aufgebracht. „Was fällt dir denn ein..."

„Du, Wilfried", rief Christel, die dem mißhandelten Tierchen
nachgelaufen war, „das ist ja gar keiner von unseren Hunden, sondern ein Jungfuchs."

Wilfried schüttelte den fremden Jungen. „Und weshalb hast du
den Stein nach ihm geworfen? Antworte!"

„Na, damit er mich nicht beißt", verteidigte sich der schmächtige,
blasse Junge, der offenbar aus der Großstadt stammte und noch
wenig Waldluft geatmet hatte.

Wilfried lachte verächtlich. „Bleib ja hinterm Ofen und pack dich
in Watte! Sonst beißen dich womöglich die Hasen oder die Feldmäuse. Wie kamst du überhaupt auf so einen Quatsch?"

„Meine Tante hat gesagt, im Wald muß man sich vorsehen, wenn
man einen Fuchs trifft; Füchse sind tollwütig."

„Ach so, aus der Luke pfeift der Wind!"

Wilfried schlug sich an die Stirn. Es tat ihm jetzt leid, daß er
den ahnungslosen Stadtjungen so angefahren hatte. Er klopfte ihm
gönnerhaft auf die Schulter. „Lauf zur Tante und sag ihr mit einem
schönen Gruß von mir: wenn in unserem Wald Tollwutgefahr be-

steht, dann wissen wir das zuerst, und es wird in allen Ortschaften der Umgegend bekanntgegeben."

Christel hockte vor dem kleinen Fuchs, dem das Blut aus dem Schnäuzchen sickerte. Die buschige Rute war auch verletzt und an den Vorderläufen war die Haut abgeschürft.

Beruhigend sprach sie mit leiser Stimme auf ihn ein.

„Ja, ja, sei mal ganz still, ich tu dir nichts!"

Nach der bösen Erfahrung eben wußte er wohl noch nicht recht, ob er ihr trauen sollte. Aber schließlich hatte sie ihn soweit, daß seine Furcht mehr und mehr schwand und in seine blanken schwarzen Äuglein der pfiffig-spitzbübische Ausdruck wiederkehrte.

Hin und wieder leckte er das Blut ab. Dabei konnte Christel feststellen, daß vom linken unteren Eckzahn die Spitze abgeschlagen und der Unterkiefer stark geschwollen war.

Vorsichtig ließ Christel eine Hand über den Waldboden auf ihn zugleiten und zog sie ebenso ruhig wieder zurück, als sie sah, daß der kleine Fuchs Angst davor bekam. Aber sie wiederholte die Bewegung so oft, bis das Tier merkte, daß die Hand ihm nichts Böses tun wollte. Da wagte er, seiner Neugierde nachzugeben und vorsichtig den Hals streckend daran zu schnuppern.

Wilfried war hinter die Schwester getreten und beobachtete das Spiel.

„Rühr dich nicht", flüsterte er. „Mal sehen, was er dann macht."

Der Jungfuchs wagte sich nun einen Schritt vor und schnüffelte an ihrem Arm entlang. Dann hob er das Köpfchen und blickte Christel treuherzig ins Gesicht. Sie wagte kaum zu atmen, um ihn nur ja nicht zu erschrecken.

„Ich möchte bloß wissen, in welchem Bau der zu Hause ist", sagte Wilfried leise. „Für gewöhnlich strolchen die Jungen doch nicht allein herum, wenn sie noch so klein sind wie der hier."

„Wo wohnt denn deine Mutti, du kleiner Strolch?" fragte Christel.

Der Fuchs drehte den Kopf zur Seite, als wollte er fragen: Wie bitte? Aber dann schienen ihm die Stimmen der beiden großen Zweibeiner doch nicht so recht geheuer zu sein. Langsam trat er rückwärts.

34

Wilfried und Christel verhielten sich reglos, und erst, als der Jungfuchs sich umdrehte und humpelnd fortlief, folgten sie ihm in einigem Abstand. Manchmal blieb der kleine Fuchs stehen, leckte an seiner schmerzenden Pfote oder warf einen Blick zurück auf die Geschwister.

„Er fordert uns auf, nachzukommen", deutete Christel diese Blicke, „er will uns zeigen, wo er wohnt."

„Ich glaube eher, er traut uns nicht", meinte Wilfried, „er hat Angst, daß wir hinterrücks — pst!" unterbrach Wilfried sich, blieb stehen und hielt Christel am Arm fest.

„Da!" flüsterte er. „Guck mal!"

Über einem mit jungem Grün bewachsenen Erdhaufen erschienen eben wieder zwei Paar spitze Ohren, und dann tauchten blitzschnell nacheinander zwei Jungfuchsköpfe auf, wie die Teufel aus dem Kästchen, und verschwanden. Christel mußte sich rasch die Hand auf den Mund drücken, um die Kleinen nicht durch lautes Prusten zu erschrecken.

Auf dem Erdhügel blieb der kleine, verletzte Fuchs noch einen Augenblick stehen und sah Christel an.

Sie hob die Hand und winkte: „Auf Wiedersehen — Strolch!"

Die buschige Rute schlug einmal hin und her, als wollte sie ebenfalls ein „Auf Wiedersehen" winken. Dann verschwand Strolch mit seinen Geschwistern im Bau.

Christel konnte sich nur schweren Herzens von dem Fuchsbau trennen. „Ich glaube, wenn wir den kleinen Fuchs mit irgend etwas gelockt hätten, wäre er gern mit uns gekommen", meinte sie.

„Damit wir nochmal dasselbe erleben wie mit Polko — Mord und Totschlag aus Eifersucht!" entgegnete Wilfried. „Nein, danke! Außerdem würde Vati dir was flüstern, wenn du jetzt zur Abwechslung mit einem Fuchs ankämst. Ich vermute, er möchte seinen Wildbestand lieber da lassen, wo er hingehört."

Die Geschwister hatten über dem Erlebnis mit dem Jungfuchs ganz vergessen, weshalb sie eigentlich in den Wald gegangen waren. Eine weitere Suche nach den Teckeln erwies sich zum Glück auch als überflüssig, denn als Christel und Wilfried heimkamen, hatten sich die beiden Ausreißer schon wieder eingefunden — zerzaust, schmutzig und ziemlich kleinlaut. Anscheinend hatten sie mit der gleichen Gattung Waldgetier, der auch „Strolch" angehörte, Bekanntschaft gemacht, aber mit einem ausgewachsenen Exemplar!

Am folgenden Nachmittag konnte Christel es sich nicht verkneifen, wieder den Fuchsbau aufzusuchen. Sie wollte ihren kleinen Strolch wenigstens von weitem wiedersehen, denn sie mußte doch feststellen, ob sein lahmes Pfötchen heilte. Christel war es gestern gleich aufgefallen, daß die Farbe von Strolchs Fell ungewöhnlich hell war, und so nahm sie an, daß er sich darin von seinen Geschwistern unterscheiden würde, und sie ihn dadurch herausfinden konnte.

Wahrscheinlich würde die alte Füchsin das Herankommen der menschlichen Schritte bemerken und ihre Jungen davor warnen, den Bau zu verlassen, hatte sich Christel als erfahrene Förstertochter gesagt und sich auf eine längere Wartezeit eingerichtet. Mit dem Lesebuch, aus dem für die morgige Deutschstunde ein Gedicht zu lernen war, setzte sie sich an eine Buche, von wo aus sie, bequem gegen den Stamm gelehnt, den Bau im Auge behalten konnte, während sie murmelte:

„Frühling läßt sein blaues Band
Wieder flattern durch die Lüfte ..."

Sehr aufmerksam war Christel allerdings nicht bei der Sache. Immer wieder blieb sie stecken und mußte von vorn anfangen:

„Frühling läßt sein blaues Band ..."

Es war aber auch ein wunderschöner Fleck, wo sie saß. Zur Rechten blickte sie in den Buchenwald, über dessen hohen Stämmen das helle Grün der ersten zarten Blättchen in der Sonne leuchtete, und zur Linken dehnte sich eine große Lichtung mit einer Wiese, die voller Anemonen stand. Darüber ließ der Frühling sein blaues Himmelsblau flattern.

„... Süße, wohlbekannte Düfte ..."

Nein, es wurde nichts mit dem Lernen, denn auf einmal stand er vor ihr, nur wenige Schritte entfernt, und schaute sie unverhohlen neugierig an.

„Strolch!" rief Christel leise. „Na, komm doch mal her, Strolch!"

36

Sie griff in die Tasche ihres Rockes, zog ein Päckchen hervor und wickelte ein Stückchen rohes Fleisch aus. „Guck mal, was ich hier habe — ei, lecker!"

Der kleine Fuchs machte den Hals lang. Der Duft stieg verlockend in seine Nase. Schritt für Schritt, noch etwas lahmend, kam er näher. Dann schnappte er hastig zu. Aber Christel hielt fest. Es war ein Stück zäher Sehne, die nicht gleich riß. Strolch stemmte sich mit allen Vieren und zerrte. Dabei drehte er sein Hinterteil hin und her und murrte ärgerlich, bis Christel losließ, und im Nu war das Fleisch verschlungen.

Inzwischen war noch ein Jungfuchs aus dem Bau gekommen. Er war wohl von Strolchs Knurren darauf aufmerksam gemacht worden, daß da draußen etwas Interessantes los sein mußte. Er hatte sich flach auf den Boden gedrückt, den Kopf zwischen den Vorderpfoten, und beobachtete gespannt, wie sich sein Bruder ohne Scheu von Christel streicheln ließ, während er mit Genuß das Papier ableckte, worin das Fleisch eingewickelt war.

Dann kamen zwei weitere kleine Rotröcke zum Vorschein. Sie kümmerten sich nicht um das, was um sie vorging, sondern balgten und jagten sich übermütig am Wiesenrand, bis auf einmal einer mit einem Ruck stehenblieb, wie gebannt auf den Boden starrte und sich auf die Lauer legte. Die Geschwister folgten seinem Beispiel, nachdem sie, aufgeregt hin und her trabend, die nähere Umgebung abgeschnüffelt hatten.

Auch Strolch interessierte sich nun nicht mehr für Christel und die Leckerbissen, die sie vielleicht noch zu bieten hatte, sondern wurde ebenfalls vom Jagdfieber gepackt. Anscheinend hatten die Fuchskinder hier Mäusegänge entdeckt. Nun lagen sie sich sprungbereit gegenüber. Ihre Sinne waren scharf auf den Punkt gerichtet, wo sie ihr Opfer erwarteten.

Auch Christel saß hochaufgerichtet und hielt den Atem an; sie wartete gespannt, was nun geschehen würde.

Kaum huschte das arme Mäuschen aus seinem Loch, als aus der Luft etwas Dunkles herabschoß, mit kräftigen Schwingen um sich schlug und die Beute ergriff. Und dann passierte etwas, das Christel ebenso überraschte wie die Füchse. Stolz rauschte der Mäusebussard über die Wiese davon und schwang sich zu dem Wipfel einer riesigen Platane empor.

Die kleinen Mäusejäger waren noch ganz benommen von dem plötzlichen Überfall und schauten verwundert dem großen Vogel nach, der es gewagt hatte, sich auf sie zu stürzen.

Um sie zu trösten, holte Christel aus ihrer Rocktasche noch ein Päckchen. Durch diese Bewegung zog sie die Aufmerksamkeit der Füchse wieder auf sich. Während die drei dunkelhaarigen Geschwister etwas zurückwichen, witterte Strolch bereits, worum es ging.

Diesmal ließ sie ihn nicht so lange zappeln; er sollte sie ja in guter Erinnerung behalten.

*

„Wollt ihr mitkommen?" fragte der Förster an einem warmen Juniabend, während er den Feldstecher über die Schulter hängte.

„Was für eine Frage!" konnte Wilfried darauf nur antworten. „Hattest du erwartet, wir sagten: ‚Ach nein, danke, wir gehen lieber ins Bett'?"

„O ja, Vati, darf ich auch mit?" fragte Christel.

„Ja, aber nur, wenn du ganz still bist."

„Hach", machte Christel überlegen, „als ob ich Wild verjage! Ich muß ja aufpassen, daß es mir nicht nachläuft."

Der Förster lachte. „Ich meinte mit dem Stillsein natürlich, daß du nicht alles, was da kreucht und fleucht, anlocken sollst."

Als sie über den Kabelweg und durch einen Feldrain den Wald erreichten, versank eben der rotgoldene Sonnenball. Die Luft wurde frischer und bewegte leise Halme und Blätter. Nicht weit pfiff ein Pirol. Der Förster zeigte seinen Kindern das beutelförmige Nest des auffallend zitronengelben, menschenscheuen Vogels in einem Ahornbaum. Eine Nachtigall wippte über entwurzelte Weidenstämme. In den Erlenbusch am Erdbruch fielen streitsüchtige Girlitze ein und verärgerten den Dompfaff, der gerade sein buntes Gefieder putzte. Nichts von alledem entging Christels flink umherwandernden Augen.

Christel hätte so gerne den Vater gefragt, ob er nicht zuerst mit zu „ihrem" Fuchsbau kommen wolle, um „ihren" Strolch kennenzulernen. Aber sie preßte die Lippen fest aufeinander, damit die Frage nur ja nicht herausrutschte. Sie wollte sich doch von den Männern nicht nachsagen lassen, daß sie sich noch nicht für eine Pirsch eigne, weil sie den Mund nicht halten könne. Je weiter sie gingen, um so klarer wurde es Christel, daß sie diese Frage gar nicht zu stellen brauchte. In der Richtung, die der Vater einschlug, mußte man einfach zu der Waldlichtung kommen, bei der sich Strolchs heimatlicher Bau befand.

Sie gingen aber nicht dorthin, sondern auf die andere Seite der Waldwiese, wo sie von einem tiefliegenden, morastigen Wassergraben begrenzt wurde. Dahinter standen ein paar mächtige alte Eichen, knorrig, verästelt und runzlig wie aus einem Märchenbuch.

Der Förster setzte sich auf einen Baumstumpf, und Wilfried und Christel machten es sich rechts und links von ihm im Gras bequem.

„Erwartest du was Bestimmtes, Vati?" fragte Wilfried.

Der Förster nickte. „Etwas ganz Bestimmtes."

„Wo? Auf der Wiese oder hier am Graben?"

„Hier am Wasser — ach, wen sehe ich denn da?" unterbrach sich der Förster und zeigte auf einen etwa handgroßen Vogel. „Kennt ihr den?"

Im Liegesitz schlief er auf einem modernden Ast und war durch sein braun-grau-weiß gesprenkeltes Gefieder nur schwer zu erkennen.

„Nein, was ist das für ein Vogel?" fragte Christel.

„Eine Nachtschwalbe. Manche nennen den Vogel auch Ziegenmelker."

Wilfried schüttelte den Kopf. „Komische Bezeichnung! Wie mag man bloß darauf gekommen sein?" Er lachte. „Bitte, stellt euch den mal beim Ziegenmelken vor!"

Es wurde nun merklich dunkler. Die Eichen beschatteten mit ihren starken Ästen und dichtbelaubten Zweigen das schwarze, unergründliche Wasser und ließen es noch finsterer und seine Umgebung noch unheimlicher erscheinen.

Die Erdwände waren steil und mit Sträuchern bewachsen. Der schmale, morastige Rand, der sich um das Wasser zog, konnte nur leichtfüßige Tiere tragen.

Nach und nach verstummten die Vogelstimmen des Tages. Nur ein paar zänkische Nebelkrähen stritten sich noch um einen Schlafplatz auf kahlem Wipfel.

Die Nachtschwalbe war inzwischen aufgeflattert und flog klatschend um die Baumkronen. Je mehr es dunkelte, desto toller wurde ihr Flug, wobei sie schrill pfiff.

Im Altlaub raschelten Mäuse. Da die drei Beobachter sich ganz still verhielten, wagte es ein Mäuschen sogar, über Christels Füße zu springen.

Doch was geschah denn vorn am Wasser? Wo kamen diese geheimnisvollen Lebewesen her? Christel entdeckte sie zuerst. Aber obwohl sich ihre Augen schon an die Dunkelheit gewöhnt hatten, konnte sie nicht erkennen, was für Tiere es waren. Das größere hatte einen kurzen Dickkopf und einen langen Schwanz. Ob das vielleicht Biber waren?

Die Gesellschaft schnupperte an der Morastgrenze herum. Zwei kletterten geschickt den Hang hinauf, kehrten jedoch wieder zurück, weil das größere Tier nicht folgte. Es war also wohl die Mutter.

Wieder tönte durch die stille Nacht der Pfiff der Nachtschwalbe, diesmal aus größerer Entfernung; sie hatte das Jagdgebiet gewechselt.

Endlich fiel ein Streifen fahlen Mondlichtes auf das Blätterdach. Unten wurde es etwas heller. Nun waren die Tiere deutlich zu sehen.

Der Förster zog die Köpfe seiner Kinder nahe zu sich heran und flüsterte: „Bisamratten!"

Auf einmal schien die alte Ratte unruhig zu werden. Witterte sie eine Gefahr?

Die Spannung wuchs!

Immer wieder warf die Rattenmutter den Kopf hoch.

Da konnte doch etwas nicht stimmen!

Sicher war ein Feind schon ganz in der Nähe, aber verschlagen genug, die Bisamratte zu täuschen.

Plötzlich warnte sie ihre Jungen.

Im gleichen Augenblick sauste etwas die Böschung hinab, wo der Weg zur Bodensenke frei war. Das Etwas war fast noch im Sprung, als auch schon ein Aufquietschen zu hören war. Dann fegte das Raubtier über die Lichtung davon.

Es war ein Fuchs.

Von den Bisamratten war nichts mehr zu sehen. Aber am jenseitigen Waldrand, der jetzt im hellen Mondschein lag, bewegten sich mehrere kleine Gestalten.

Christel ließ sich rasch vom Vater das Glas geben und schaute hinüber. Da erkannte sie deutlich, daß es vier Jungfüchse waren, die sich gierig auf die Beute stürzten, welche die Mutter ihnen aus dem Wassertümpel mitgebracht hatte und vor sie hinwarf.

„Ach, das ist aber gemein!" murmelte Christel. „Die Mutter muß das doch gerecht verteilen, damit jeder was abkriegt. Mein Strolch kann doch nicht so mitbalgen mit seinem lahmen Pfötchen."

Der Förster streichelte über Christels Haar. „Ja, weißt du, das ist nun einmal in der freien Natur anders als unter den Menschen. Bei den wildlebenden Tieren wäre solche mütterliche Fürsorge gar nicht gut. Dein kleiner Strolch muß doch beizeiten lernen, für sich selbst zu sorgen, denn wenn die Füchsin das nächstemal Junge bekommt, kann sie sich um diese hier nicht mehr kümmern; da hat sie genug zu tun, um den neuen Wurf sattzukriegen! Glaubst du, daß dann noch jemand danach fragt, ob Strolch ein lahmes Bein hat?"

„Nein, aber jetzt ist er ja noch so klein, da kann die Mutter ihn doch nicht einfach hungern lassen", meinte Christel.

„Eine Fuchsmutter weiß eben, daß Hunger der beste Lehrmeister ist, um sich im Leben zurechtzufinden", erwiderte der Vater und stand auf. „Kommt, wir wollen noch zum Jagen fünf. Ich möchte da den Wechsel von Rotwild beobachten."

*

Im Laufe des Sommers nutzte Christel jede freie Stunde, um auf ihrem Lieblingsplatz unter der Buche an der Waldwiese zu sitzen und die Fuchskinder zu beobachten.

Die rührende Tapsigkeit ihrer Bewegungen verlor sich nun rasch. Ihr Spiel wurde zur sinnvollen Fang- und Kampfübung, ihr Tun überlegter und listiger. Gewiß nahm die Mutter sie nun schon seit langem mit auf ihre nächtlichen Streifzüge und zeigte ihnen, wie man die Beute anschleicht und überrascht.

Sie hatte ihren Kindern offenbar auch gelehrt, die Fährte des Feindes wahrzunehmen und zu meiden, und es war der Füchsin bestimmt nicht recht, daß Strolch meinte, es besser zu wissen als sie. Jedesmal, wenn Christel auftauchte, begrüßte er sie freudig und ließ sich mit Wurstzipfeln und anderen Leckerbissen verwöhnen. Was sollte die Fuchsmutter dagegen tun? Ihn zurückholen? Damit würde sie sich ja — nach ihrer Meinung — selber nutzlos in Gefahr begeben. Wahrscheinlich hatte sie sich damit abgefunden, daß dieses Kind nun mal leider ungeraten war und später schon selber sehen würde, was es von seinem Leichtsinn hatte.

Und damit sollte die erfahrene Füchsin auch recht behalten — in verschiedener Hinsicht sogar.

Aber jetzt begann der Ernst des Lebens noch nicht. Unter der wachsamen Obhut der Mutter konnten die Fuchskinder sorglos spielen und Kräfte, Gewandtheit und List erproben.

Gerade die List schien sich bei Strolch als seine stärkste Seite zu entwickeln. Christel beobachtete ihn eines Tages bei einem Unternehmen, bei dem Strolch geradezu Erfindungsgabe bewies. Zumindest aber handelte er nach einem Plan, den er sich offensichtlich überlegt hatte. Und hätte Christel die Ausführung nicht im letzten Augenblick verhindert, so wäre ihm ein anderer ihrer vierbeinigen Freunde von der Waldwiese zum Opfer gefallen.

Bobby hatte sie ihn genannt.

Bobby war ein Igel, der es ebensowenig wie Strolch für nötig hielt, vor dem Menschenkind Christel Reißaus zu nehmen. Allerdings hatte seine Gattung sowieso die Menschen nicht zu fürchten. Wer sollte denn auch den Igeln etwas zuleide tun wollen, die so fleißig im Feld und Garten die Schädlinge beseitigen?

Bobby hatte seinen Artgenossen den Vorzug voraus, die Bekanntschaft von Christel gemacht zu haben. Durch einen lächerlichen Zufall übrigens, denn im allgemeinen pflegen Igel ja erst in der Dämmerung ihren Schlupfwinkel im dichten Laub des Unterholzes zu verlassen. Eines Nachmittags aber war Christel das Papier, worin ein Knochen für Strolch eingepackt war, auf die Erde gefallen, ganz in der Nähe des Erlengebüsches, unter dem Bobby schlief.

Der leckere Duft war ihm in die Nase gestiegen und hatte ihn geweckt.

Als Christel das Papier rascheln hörte und sich erstaunt umsah, hatte Bobby es bereits aufgerissen und sich über den Leckerbissen hergemacht.

Von nun an verließ Bobby, sobald Christel ihn rief, seinen Schlafplatz. Dazu legte sie ihm irgend etwas lecker Duftendes hin, denn sehen können Igel nicht gut, dafür um so besser hören und riechen.

Manchmal brachte sie ihm in einem Fläschchen Milch mit, sein Leibgericht, die er aus einer kleinen flachen Schüssel schlabberte. Vor lauter Genuß stellte er sogar die Vorderpfötchen mit hinein.

Auch heute war Bobby wieder eifrig dabei, seine Milch zu schlekken. Mit einemmal aber unterbrach er seine geruhsame Mahlzeit, hob den Kopf und zog aufgeregt die Luft ein. Dann machte er kehrt und versuchte, schnurstracks sein Lager zu erreichen. Er konnte sich jedoch nicht mehr in Sicherheit bringen; denn Strolch verlegte ihm den Weg. Bevor der kleine Fuchs aber dazu kam, den Igel anzupacken, hatte der sich zu einer Kugel zusammengerollt und zeigte seine langen, gefährlichen Stacheln.

Strolch fuhr zurück und wartete eine Weile, ob der Igel vielleicht so leichtsinnig sein und sich wieder aufrollen würde.

Aber Bobby dachte gar nicht daran. In dieser Stellung hielt er es lange aus, und er wußte, daß ihm so nichts passieren konnte.

Strolch sah Christel fragend an, als sollte sie ihm sagen, was er tun könnte, um Bobby zu erwischen.

Aber Christel schüttelte den Kopf. „Laß ihn, Strolch, du holst dir bloß eine blutige Nase. Außerdem ist Bobby auch mein Freund. Du sollst ihm nichts tun."

Strolch beroch ihn von allen Seiten und versuchte, mit vorgeschobenen Schneidezähnen behutsam ein paar Stacheln zu fassen, zuckte jedoch wieder zurück und leckte über das gestochene Schnäuzchen.

Nach diesem ergebnislosen Versuch umkreiste er Bobby, um festzustellen, ob er nicht von einer anderen Seite anzugreifen sei. Doch der Igel war auf der Hut. Der verwundbare Kopf, die Beine und das Stummelschwänzchen hatte er tief in den Bauch gepreßt und so ebenfalls gehörig geschützt.

Strolch wagte zunächst nicht, noch einmal seine vorwitzige Nase in die Stacheln zu stecken, sondern bemühte sich, den zusammengerollten Körper vorsichtig mit dem rechten Lauf fortzubewegen. Das glückte. Und nun schien dem kleinen Schlauberger auf einmal eine Idee zu kommen. Er blickte sich um, über die zum anderen Waldrand sanft abfallende Wiese hinweg, und dann fing Strolch an, die Stachelkugel in Bewegung zu setzen, geradeaus in eine Richtung durch das Gras.

Voller Spannung verfolgte Christel dieses eigenartige Spiel. Sie ahnte genauso wenig, was Strolch vorhatte, wie Bobby, der auch nicht wußte, wo er hinrollte.

Mit beachtlicher Ausdauer trieb der kleine Fußballspieler die Stachelkugel weiter, immer weiter.

Endlich glaubte Christel, seinen listigen Plan durchschaut zu haben, aber sie konnte es noch kaum fassen. Sollte Strolch wahrhaftig die Absicht haben, den Igel ins Wasser zu werfen, damit er sich aufrollte und dann zu packen wäre?

Mit einem Sprung war Christel auf den Füßen und rannte über die Lichtung auf den sumpfigen Graben zu.

„Strolch — na, warte!" rief sie atemlos. „Wehe dir! Laß das ja sein, du!"

Gerade holte der Fuchs mit der Pfote aus und wollte dem Igel den letzten Stoß geben, bevor er den abschüssigen Grabenrand hinunterkollerte, da bekam Christel ihren kleinen Strolch am Schwanz zu fassen.

Knurrend fuhr der Fuchs herum und schnappte nach Christels Hand. Zum Glück erwischte er sie nicht.

Das Mädchen hockte sich rasch zwischen ihn und den Igel auf den Boden und redete dem Fuchs gut zu.

„Aber Strolchi, du wirst doch das Frauchen nicht beißen, das dir immer so feine Knochen mitbringt. — Nein, bleib schön bei mir — ganz brav hierbleiben, damit der Bobby inzwischen verschwinden kann."

Und wirklich, als Christel sich nach einer Weile vorsichtig umdrehte, hatte der Igel seinen günstigen Augenblick wahrgenommen und war verschwunden.

Überschwemmung

So war der Sommer zu Ende gegangen. Viele Regentage hatten Christel lange daran gehindert, ihren Lieblingsplatz an der Waldwiese aufzusuchen, und als sie an einem sonnigen Herbstnachmittag wieder einmal dorthin kam, war der Fuchsbau verlassen. Strolch und seine Geschwister waren nun ausgewachsen und hatten sich selbständig gemacht.

Die Zugvögel hatten nun das Land verlassen. Es war die Zeit, da die Spechte auch in den Hausgärten mit nach dem Rechten sehen, und die emsig dahintrippelnden Haubenlerchen suchten wieder auf den Straßen der kleinen Stadt die Brotkrumen auf, die mitleidige Menschen aus den Fenstern streuten.

Christel dachte noch manchmal an ihren Freund Strolch, obwohl ihr klar war, daß sie ihn nicht wiedersehen werde, denn er hatte nun gewiß wer weiß wo sein eigenes Jagdrevier gegründet.

Doch es kam anders.

In den Herbstferien waren Christel und Wilfried bei ihrem Onkel eingeladen, der einen stattlichen Hof, etwa dreißig Kilometer entfernt vom elterlichen Wald, besaß. Das Anwesen lag nahe an einem Fluß, wo die Geschwister mit den Vettern und Kusinen nach Herzenslust kahnfahren und fischen durften. Das war etwas Neues für sie und eine herrliche Abwechslung. Den Weg dorthin hatten sie mit den Rädern zurückgelegt. Er führte streckenweise zwischen sanften Hügeln hindurch, dann wieder am Fluß entlang.

Die Tage gingen viel zu schnell herum, eigentlich hatte man noch „sooo viel" vor. Aber es half nichts. Am nächsten Tag begann die Schule wieder, und so mußten Christel und Wilfried, mit dem Versprechen, zu Ostern ganz bestimmt wiederzukommen, ihre bunten Säcke auf den Gepäckträger über den Hinterrädern festklemmen und losstrampeln.

„Aber fahrt zügig durch und haltet euch nicht auf!" rief ihnen der Onkel nach. „Das Barometer ist mächtig gefallen und die Wettermeldungen sagen auch nichts Gutes voraus."

„Na, wir sind ja nicht aus Zucker", rief Wilfried lachend zurück, „da werden wir von einem Regenguß nicht gleich schmelzen. — Auf Wiedersehen!"

Als aber Wilfried und Christel hintereinander am Flußufer entlangfuhren, türmte sich vor ihnen am Himmel eine so dunkle Wolkenwand auf, wie sie sie wohl noch nie gesehen hatten. Die Sonne verschwand hinter einem Schleier und verbreitete ein fahles, wässriges Licht über die Landschaft, die auf einmal ganz fremd und unwirklich aussah. Es wurde so unheimlich still, kein Vogel gab noch einen Laut von sich, ja nicht einmal das magere herbstliche Laub an den Bäumen rührte sich.

Christel bekam Herzklopfen.

„Du, Wilfried, ich glaube, das gibt aber einen ganz schönen Regenguß!"

„Ja, das scheint mir auch so", murmelte Wilfried, dem es ebenfalls nicht recht geheuer war.

In diesem Augenblick kam von fern her ein merkwürdiges Geräusch, ein Sausen und Zischen, das rasch immer lauter wurde. Gleich darauf wurde es finster wie am späten Abend, und dann rauschte der Regen herab.

Es wurde unmöglich, weiter zu radeln. Wilfried und Christel

hatten gerade die Stelle erreicht, wo die Straße den Fluß verließ und sich ansteigend zu den Hügeln hinaufschlängelte. Also sprangen sie von den Rädern und schoben sie weiter, tief geduckt unter den prasselnden Schlägen der dicht und hart wie Geschosse herabstürzenden Tropfen. Der plötzlich einsetzende Wind peitschte sie den Geschwistern schmerzhaft ins Gesicht, und in den Rinnsalen, die immer breiter werdend den Weg herabgeflossen kamen, bildeten die Regentropfen große Blasen, die schnalzend platzten.

Wilfried hob seitlich den Kopf und schielte zum Himmel hinauf. War denn noch immer kein Ende des Schauers abzusehen? Nein, nirgends zeigte sich auch nur die Spur eines helleren Streifens. Da hörte er hinter sich ein jammerndes Stimmchen:

„Wilfried, ich kann nicht mehr!"

Der Junge blieb stehen. Die arme kleine Schwester tat ihm leid, aber wie sollte er ihr helfen? Ratlos blickte er sich um. Da entdeckte er auf der Kuppe der etwa zwanzig Meter hohen Bodenwelle neben der Straße zwischen spärlich belaubtem Gebüsch einen dunklen Streifen, der aussah wie ein Holzdach.

„Mensch, Christel!" rief er froh. „Guck mal — da oben — das scheint eine Scheune zu sein. Nichts wie hin!"

„Mit den Rädern?" fragte Christel. „Das kann ich nicht."

„Quatsch, die lassen wir hier liegen", entschied Wilfried und löste bereits seinen Sack vom Gepäckträger.

„Wenn sie aber einer klaut?"

„Bei diesem Wetter kommt doch hier keiner lang", beruhigte Wilfried die Schwester, „und wenn es aufhört zu regnen, fahren wir ja weiter. Komm!"

Auch Christel hängte sich ihr Gepäck über die Schulter, und sie stiegen den Hang hinauf.

Was Wilfried für eine Scheune gehalten hatte, war nur ein Heuschober, richtiger gesagt ein großes Holzdach ohne feste Seitenwände, unter dem Heu gestapelt lag. Frierend und bis auf die Haut durchnäßt drückten sich die beiden hinein. Hier waren sie geschützt. Das Heu wärmte sie und hielt den Wind ab, und durch das Dach tropfte es nur hin und wieder ein wenig. Sonst floß der Regen, der in unverminderter Stärke weiter strömte, in plätschernden

Bächen seitlich ab. Sein Trommeln auf den Holzplatten war geradezu ohrenbetäubend.

Eine Stunde verrann, und noch eine — es goß weiter.

„Jetzt könnten wir schon zu Hause sein", beklagte sich Christel.

Wilfried nickte. „Nun warten sie dort auf uns und schimpfen womöglich, daß wir zu spät gestartet seien oder unterwegs bummeln."

„Und Onkel Franz und Tante Hilde denken, wir wären längst da", ergänzte Christel.

„Na, vielleicht kommt einer von beiden, Vati oder Onkel Franz, auf die großartige Idee, mal beim anderen anzurufen, wenn es sich herausstellt, daß wir nicht kommen. Denn wenn es hier derartig ausdauernd gießt, kann doch dort auch nicht gerade die Sonne scheinen. Hoffentlich kommen sie dann mit dem Wagen, um uns zu holen."

„Ja eben", fuhr Christel hoch, „und dann finden sie uns hier oben gar nicht. Denkst du vielleicht, wir können sie kommen hören — bei dem Krach, den der Regen macht?"

„Nein, wahrscheinlich nicht, da hast du recht", gab Wilfried zu, „aber bis jetzt haben sie uns ja noch gar nicht vermißt, und wir können von nun an ja aufpassen. — Was ist das eigentlich für ein komisches Rauschen da draußen? Hörst du das auch, oder habe ich das bloß in den Ohren?"

„Nein, ich hör's auch", sagte Christel, „vielleicht kommt das vom Fluß her. Der ist jetzt sicher ganz breit geworden von dem vielen Regen."

„Na, egal, eins will ich dir jedenfalls sagen —", erklärte Wilfried entschlossen, „ich bleibe hier nicht bis Weihnachten sitzen. Mir kommt's sowieso vor, als ob es nicht mehr ganz so schlimm gießt. Vor allem scheint der eklige Wind nachgelassen zu haben. Was meinst du, Christel, wollen wir starten? Es wird nämlich bald dunkel, und der Kabelweg ist bestimmt ein einziger Matsch."

„Ich glaube auch, es ist besser, wir fahren los", meinte Christel, „nässer als naß können wir ja nicht werden, und vielleicht kommt Vati uns entgegen."

Wilfried lief voran und wollte in langen Sätzen den Hang hinunterspringen, da stoppte er seinen Lauf so plötzlich, daß er auf dem nassen Gras ausrutschte und sich hinsetzte.

„Christel — Mensch, ich werd' verrückt!" schrie er dabei. „Die Straße ist gar nicht mehr da — lauter Wasser!"

Nun sah es auch Christel und wurde ganz blaß vor Schreck. Der Fluß hatte die Bodenwelle, auf der sie sich befanden, umspült und wälzte sich als eine dickflüssige, lehmgelbe Masse zischend und glucksend zwischen Sträuchern und Bäumen dahin, mit seiner unbändigen Kraft alles mit sich reißend, was keine tiefen Wurzeln hatte. Auf seinen strudelnden Wellen trieben abgebrochene Baumkronen und Zweige, ausgerissene Stämme und die Körper ertrunkener Tiere.

Christel schlug die Hände vors Gesicht und schüttelte sich vor Entsetzen. Dann rannte sie zurück und warf sich laut aufschluchzend ins Heu.

Langsam folgte Wilfried ihr, setzte sich neben sie, stützte die Ellbogen auf die Knie und starrte hinaus in das unentwegt strömende Grau. Es dauerte lange, bis er imstande war, überhaupt nur irgendeinen Gedanken zu fassen.

Endlich hob Christel ihr tränennasses Gesicht und fragte stockend: „Wilfried, was — was wird denn nun? Müssen wir auch er- — ertrinken?"

Da erwachte in dem großen Bruder das männliche Verantwortungsgefühl. Er schüttelte energisch den Kopf und erklärte zuversichtlicher, als ihm eigentlich zumute war: „Ach was, sie suchen uns doch schon."

„Aber wie denn, Wilfried?" rief Christel verzweifelt. „Es ist doch alles überschwemmt."

„Na, mit dem Auto natürlich nicht, sondern mit einem Kahn" erklärte Wilfried überlegen. „Aber wir müssen uns bemerkbar machen. Am besten, wir setzen uns auf das Dach. Und dann müssen wir etwas haben, womit wir winken, was Weißes."

Sie kramten in ihrem Gepäck nach Wäschestücken.

„Verhungern werden wir jedenfalls nicht", stellte Wilfried beruhigt fest und zeigte auf den kleinen Rollschinken und die lange Dauerwurst, die Tante Hilde ihnen eingepackt hatte.

„Ach, und ich habe hier ja noch den Kuchen und die Schokolade‘, rief Christel, „die hatte ich vor Schreck ganz vergessen."

„Gib mal gleich her!" entschied Wilfried, „das ist jetzt genau der richtige Trost." Und mit Genuß kauend fuhr er fort: „Weißt du, das ist doch eigentlich toll spannend, was wir hier erleben — richtig wie Robinson."

„Na du, was Spannendes lese ich lieber, als daß ich es selber erlebe", meinte Christel. Plötzlich horchte sie auf.

„Was war das?"

„Was denn?"

„Hast du nichts gehört? — Da — wieder! Es piept!"

Wilfried lachte. „Das war dein Vogel."

Christel überhörte die Anspielung in Wilfrieds Bemerkung und schüttelte ungeduldig den Kopf. „Das war doch kein Vogel. Das war ein —" Sie horchte wieder, aber außer dem Rauschen und Trommeln des Regens war nichts zu hören. In der Erinnerung an den Ton, den sie gehört hatte, meinte Christel: „Das war ein Hund."

Wilfried tippte sich an die Stirn. „Na weißt du, Christel, ich glaube, du bist nicht mehr zu retten mit deiner Tiernarrheit. Überleg doch mal: Wir sind hier jetzt auf einer Insel. Wo soll denn da ein Hund herkommen?" Aber gleich darauf hob er selber aufhorchend den Kopf. „Wahrhaftig, du hast recht, das klang, als ob ein Hund jault.""

Sofort hatte Christel ihre eigene, wirklich nicht ungefährliche Lage vergessen. „Los, Wilfried! Wir müssen sofort nachsehen, wo er ist." Und schon war sie draußen und rief lockend in alle Richtungen: „Wo bist du denn, Hündchen? Sag was! — Hief, hief!" machte sie ihm sein Jaulen vor.

Da kam auch schon die Antwort. „Da unten!" rief Christel und begann, vorsichtig sich an Sträuchern festhaltend, den Hang hinunter zum Wasser hin zu klettern.

„Ja, ja, Hündchen, ich komme schon", tröstete sie dabei.

Wilfried folgte ihr nicht. Er war damit beschäftigt, Hemden von sich und Christel an einen Zweig zu knüpfen, um eine möglichst große Fahne herzustellen, mit der man sich auch in der Dämmerung noch bemerkbar machen konnte. Wie gut überlegt das war, sollte sich bald erweisen.

Christel hatte inzwischen nahe dem unheimlich zischenden, rasch vorbeiströmenden Wasser ein Haselgebüsch erreicht, durch dessen halbentlaubte Zweige ein rotbräunliches Etwas sichtbar wurde, das sich ruckhaft bewegte.

„Ja, ja, halt mal still", tröstete Christel, „ich bin gleich da und helfe dir." Sie bog die Sträucher auseinander. „Wilfried!" rief sie überrascht, „das ist gar kein Hund, sondern ein Fuchs."

Das Tier steckte mit seinem Hinterteil in einer Astgabel, die sich mit ihren beiden Spitzen tief in den Sand gebohrt hatte, so daß Hinterbeine und Schwanz im Wasser blieben und die angestrengt greifenden Vorderfüße den Körper nicht aufs Trockene zu ziehen vermochten.

„Armer kleiner Strolch", sagte Christel in Erinnerung an ihren Freund von der Waldwiese, „warte, ich hol' dich heraus."

Der Fuchs spitzte die Ohren, legte den Kopf zur Seite und hob den Schwanz aus dem Wasser, um zu wedeln.

Es war nicht so einfach für Christel, ihn aus seiner Klemme zu befreien, denn sie mußte sich mit einer Hand an einem Haselstrauch festhalten, um nicht selber ins Wasser zu fallen. Ein paarmal hatte sie nach Wilfried gerufen, daß er ihr beistehen solle, aber er hörte sie anscheinend nicht.

Nach mehreren vergeblichen Versuchen gelang es Christel endlich, die Astgabel aus dem Boden zu ziehen. Mit einem Satz sprang der Fuchs auf das sichere Land, blieb aber neben Christel stehen und schüttelte sich kräftig. Auch danach rannte er nicht weiter, sondern wartete, bis seine Retterin durch das Haselgebüsch wieder hinaufgeklettert war. Dabei schaute er mit gespitzten Ohren und interessiert vorgestrecktem Kopf unter die Zweige von einem der Sträucher.

Christel folgte seinem Blick — und erschrak. Da saß wahrhaftig, eng aneinandergeschmiegt, eine ganze Hasenfamilie. Unwillkürlich trat sie rasch zwischen sie und den Fuchs.

Aber der schien gar nicht die Absicht zu haben, sich auf sie zu stürzen und einen von diesen leckeren Junghasen herauszuholen. Er

sah freundlich wedelnd zu Christel auf und schien entschlossen zu sein, mit ihr zu gehen.

Auf dem Weg zurück zu dem Heuschober fand Christel noch viel Gelegenheit, sich zu wundern. Der Fuchs kümmerte sich auch nicht darum, daß sich mehrmals vor ihren Füßen das welke Laub raschelnd bewegte. Da waren doch bestimmt Mäuse. Nicht einmal der große Vogel kümmerte sich um sie, der zusammengeduckt auf einem niedrighängenden Ast hockte. Dabei war es, wie Christel beim Näherkommen erstaunt feststellte, ein Mäusebussard. Christel erzählte das ihrem Bruder, der bereits mit seiner Notfahne auf dem Holzdach saß, und meinte:

„Wir scheinen hier im Paradies zu sein. Keiner tut dem andern was. Kannst du dir das erklären?"

„Wahrscheinlich ist ihnen allen vor Schreck, als das Wasser kam, der Appetit vergangen. Ich habe übrigens eben da drüben einen jungen Bock und ein paar Ricken gesehen."

„Wo?" fragte Christel und blickte sich um.

„Ich sehe sie jetzt nicht mehr. Vielleicht sind sie irgendwo untergekrochen. Sicher hatten sie uns gehört und wollten bloß mal sehen, was sich da außer ihnen für komische Tiere hierher gerettet haben."

Christel zögerte einen Augenblick, dann sagte sie: „Du, Wilfried, ich komme gleich zu dir da oben hin. Erst muß ich mal den armen Fuchs ein bißchen mit Heu trockenreiben."

„Du brauchst gar nicht heraufzukommen", rief Wilfried zurück, „setz' dich ruhig da unten ins Trockne. Ich kann gut allein aufpassen. Aber du könntest mir die Taschenlampe aus meinem Sack heraufreichen. Es wird jetzt ziemlich schummrig, da muß ich meine Fahne anleuchten, sonst sieht man sie womöglich gar nicht."

Der Fuchs war inzwischen schon von selber in den Schuppen gegangen, und als Christel sich zu ihm setzte, kuschelte er sich mit befriedigtem Knurren an sie.

Christel nahm ein Bündel Heu und rieb damit kräftig gegen den Strich über sein Fell. Er hielt das offenbar für ein lustiges Spiel, denn er drehte sich auf den Rücken und versuchte, das Heu mit Pfoten und Zähnen zu haschen.

„Christel — die Taschenlampe!" rief Wilfried von oben.

„Ach ja, die hatte ich vergessen", gestand Christel. Sie holte die Lampe heraus, knipste sie an und ließ ihren Schein über den Fuchs gleiten.

Er fuhr erschrocken zurück und fletschte knurrend die Zähne. Da sah Christel, daß sein linker unterer Eckzahn halb abgebrochen war. Sollte es etwa..

Obwohl der Fuchs versuchte, sich vor dem Schein unter dem Heu zu verstecken, gelang es Christel noch, seine linke Vorderpfote abzuleuchten. Und wirklich entdeckte sie dort die Narbe, die ihr Strolch im Frühjahr von dem Steinwurf des fremden Jungen davongetragen hatte.

Sie sprang auf und lief hinaus. „Wilfried!" rief sie ganz aufgeregt vor Freude. „Das ist ja Strolch — mein Strolch!"

Aber Wilfried hörte nicht auf sie. „Los, gib die Lampe her!" schrie er. „Da kommt was! — Hal — lo! — Hal — lo!"

Christel bemühte sich, so schnell wie es ihr möglich war, auf das Holzdach zu klettern. Aber sie blieb mit der Tasche ihrer Jacke an einem Nagel hängen, und als sie eine Hand von dem Balken, an dem sie sich hielt, losließ, um sich von dem Nagel zu befreien, rutschte sie ab und fiel wieder herunter.

„Bleib unten und wirf!" befahl Wilfried, legte seine Fahne weg und streckte die Hände zum Fangen aus.

Dann schwenkte er wieder den Ast mit den angebundenen Hemden, die er mit der Lampe beleuchtete. Es wirkte gespenstisch und mußte weithin zu sehen sein. Dazu schrie er so laut er konnte, immerzu: „Hal — lo!"

„Sei doch mal still" rief Christel in einer Atempause. „Man muß doch zwischendurch horchen, ob jemand antwortet."

Sie lauschten beide eine Zeitlang angestrengt in den jetzt rasch dunkler werdenden Abend hinaus, aber es war kein anderer Laut zu hören als das Zischen und Glucksen des vorbeiströmenden Wassers. Der Regen hatte nun fast ganz aufgehört.

Es kam niemand. Was Wilfried für einen Kahn gehalten hatte, war wohl ein treibender Baumstamm gewesen.

Langsam drehte Christel sich um und ging zurück zu ihrer Kuhle im Heu. Ein bedrückendes Gefühl der Verlassenheit kam über sie, und gewiß wären die Tränen wieder geflossen, hätte sich nicht gerade jetzt ein rotbraunes, seidiges Fell an sie gedrückt, und wäre nicht eine feuchte Nase und eine rauhe Zunge tröstend über ihren Handrücken geglitten.

Da war auf einmal alles halb so schlimm.

„Ach, mein Strolchi", sagte Christel zärtlich, „mein lieber, kleiner Strolch! Gut, daß du bei mir bist."

Sie legte sich ins Heu zurück und zog den Fuchs in ihren Arm. So lagen sie aneinandergeschmiegt, wärmten sich gegenseitig, und es dauerte nicht lange, da fielen ihnen die Augen zu.

Die Rettung

Christel träumte, daß Wilfried auf einem hohen Berg stünde und nach ihr riefe. Sie wollte zu ihm und kletterte und kletterte mit äußerster Anstrengung, aber sie kam nicht vorwärts. Und dann war auf einmal ein großes Tier vor ihr, wie ein Bernhardinerhund, der ihr die Pfoten auf die Schulter legte und ihr Gesicht lecken wollte. Sie drehte sich hin und her, um das zu verhindern. Wieder rief Wilfried nach ihr, und noch mehr Stimmen kamen hinzu. Christel wollte sehen, wer das sein mochte, aber der große Hund war ihr im Wege. Außerdem war es so finster, man konnte nichts erkennen.

Langsam wurde Christel wach. Noch immer hörte sie die Stimmen laut durcheinander reden. Sie schlug die Augen auf. Es war wirklich ganz dunkel um sie, und irgend etwas drückte auf ihre rechte Schulter. Etwas Nasses stippte auf ihre Nase, und plötzlich geisterte im Hintergrund ein Lichtschein, da erkannte Christel die Umrisse eines Kopfes mit spitzen Tütenohren.

„Strolch!" sagte Christel noch ziemlich verschlafen.

Der Fuchs murrte wedelnd, sichtlich erfreut, daß es ihm endlich gelungen war, sie wach zu kriegen. Im nächsten Augenblick war sie auf den Beinen — sie hatte die Stimme des Vaters erkannt.

Es wurde eine so glückliche Begrüßung, als hätten sie sich seit Jahren nicht gesehen. Onkel Franz war übrigens auch dabei.

Christel und Wilfried kamen aber nicht dazu, sich darüber zu wundern oder Fragen zu stellen, denn im Schein von Taschenlampen wurden in aller Eile die Sachen zusammengepackt, die beim Herauskramen der Wäschestücke und was sonst noch gebraucht wurde, rundum auf dem Heu verstreut liegengeblieben waren. Dann gingen sie hinunter zum Wasser, wo der große Angelkahn von Onkel Franz lag.

„Christel hat natürlich wieder ein Tier aufgelesen", sagte Wilfried und zeigte auf den Fuchs, der sich wie selbstverständlich der Gesellschaft anschloß.

Der Förster blickte sich um und lachte.

„Na, zum Glück wieder einschlägiges Wild", meinte er. „Solange du mir keine Ungeziefer ins Haus und Elefanten ins Revier bringst, Christel, soll es mir recht sein." Er scheuchte den Fuchs zurück, als sie den Kahn besteigen wollten.

„Aber, der muß doch mit!" rief Christel entrüstet. „Willst du ihn vielleicht hier einfach umkommen lassen?"

„Der kommt nicht um", beruhigte der Vater sie. „Das Wasser fällt bereits. Noch einen Tag, und dein Fuchs kann auf trockenen Pfoten seinen Bau wieder erreichen. Und wenn der überschwemmt sein sollte, gräbt er sich einen neuen."

„Das ist aber nicht irgendein Fuchs, sondern Strolch — mein Strolch von der Waldwiese. Der muß mit!" wiederholte Christel mit Bestimmtheit, nahm das Tier unter den Arm, als sei es ein Dackel, und kletterte mit ihm ins Boot.

Während Onkel Franz ruderte, berichtete der Vater:

„Ich hatte keine Ahnung von dem Unwetter. Bei uns hat es nur eine Zeitlang heftig geregnet. Dann rief Tante Hilde an, fragte, ob ihr gut angekommen seid, und als ich sagte, ihr wäret noch gar nicht da, war sie furchtbar erschrocken und erzählte, weiter oben im Bergland müsse es ganz schrecklich gewettert haben, denn der

Fluß führe Bäume, Geräte und totes Vieh mit sich und schwelle immer höher an.

Darauf fuhr ich sofort mit dem Wagen los, und ihr könnt euch wohl meinen Schrecken vorstellen, als plötzlich die Straße vor mir im Wasser verschwand, die Straße, auf der ihr gekommen sein mußtet.

Was sollte ich machen? Ich raste erstmal auf Umwegen zu Onkel Franz. Euer Vetter Herbert versuchte, mich zu beruhigen, indem er als erfahrener Radler meinte, ihr müßtet schon zwischen den Hügeln gewesen sein, als die Flut kam, da hättet ihr bestimmt noch Zeit genug gehabt, euch dort hinauf zu retten. Das war ein guter Anhaltspunkt für Onkel Franz und mich, als wir mit dem Kahn losfuhren, um euch zu suchen. Und Wilfrieds Idee, seine Notfahne mit der Taschenlampe anzuleuchten, war großartig. Dadurch konnten wir ihn schon von weither sehen."

Tante Hilde freute sich sehr, als Wilfried und Christel wohlbehalten wieder vor ihr standen. Aber als sie Christels ungewöhnliches „Schoßhündchen" sah, erklärte die Bäuerin mit Bestimmtheit:

„Der Fuchs kommt mir nicht auf den Hof. Erstens braucht er nicht zu erfahren, was für leckere Geflügelbraten es hier für ihn gibt, und zweitens würde unser Hasso dann wohl bald nicht viel Federlesens mit ihm selber machen."

Bei der Vorstellung, Hasso, der Schäferhund könnte ihren Strolch totbeißen, drückte Christel ihren Liebling an sich.

„Nein, nein, Tante Hilde, ich lasse ihn ja hier nicht laufen", versicherte Christel eifrig. „Ich setze ihn gleich in unseren Wagen. Nicht wahr, Vati?"

„Meinst du, daß dein Vati nicht genug Füchse im Revier hat?" fragte Onkel Franz schmunzelnd.

„Der gehört doch in unser Revier!" erklärte Christel.

Der Onkel lachte. „So, so, hat er das gesagt?"

Der Förster legte den Arm um die Schulter seiner kleinen Tochter und sagte zu seinem Schwager:

„Das verstehst du nicht, mein Lieber. Du züchtest nur Tiere, die nachher geschlachtet werden sollen. Aber Christel und ihre Tiere, die haben ein ganz besonderes Verhältnis zueinander."

Er nickte ihr zu. „Nicht wahr, du kannst mit ihnen reden wie der heilige Franziskus von Assisi?"

Christel wandte sich dem Fuchs zu, den sie auf dem Arm trug, und fragte:

„Was meinst du, Strolchi, kann ich mit dir reden? Verstehst du mich?"

Da stieß ihr der Fuchs liebevoll die Nase ins Gesicht. Er traf dabei ihr Ohr, und das sah aus wie eine heimliche Verständigung.

Sie hielten sich nun nicht mehr lange bei Onkel und Tante auf, sondern fuhren gleich heim, damit Christel und Wilfried so rasch wie möglich aus den feuchten Kleidern kamen. Tante Hilde versprach, der Mutter sofort telefonisch Bescheid zu geben, daß ihre Kinder gefunden seien, damit sie sich nicht unnötig lange ängstigen müsse.

Als der Wagen an die Ecke kam, wo der Kabelweg von der Straße abzweigte, und hinter einer Böschung das Waldstück anfing, das die Lichtung einschloß, hielt der Vater an.

„So, Christel, hier setz' deinen Strolch ab", sagte er.

Christel hätte den Fuchs zu gern als Spielkameraden behalten, aber sie wußte ja, daß das in einem Försterhaus mit seinen, für die Jagd abgerichteten Hunden nicht möglich war. Also streichelte sie ihn rasch noch einmal, als sje ihn auf den Boden springen ließ, und er noch einen Augenblick stehenblieb, und flüsterte ihm zu:

„Geh zu deinem alten Bau, Strolchi, dann besuche ich dich wieder."

Der Fuchs wedelte noch einmal hin und her, als winke er seiner Freundin zu, dann senkte er die spitze Schnauze auf die Erde und war im nächsten Augenblick in der Dunkelheit verschwunden.

Jonas

Die Tage wurden immer kürzer. Wenn der Himmel bedeckt war oder es gar regnete — was in diesem Herbst leider sehr oft vorkam —, mußte morgens auf der Fahrt zur Schule schon der Dynamo am Fahrrad eingeschaltet werden.

Die Stahlrösser von Christel und Wilfried hatten ihren Unterwasser-Aufenthalt einigermaßen gut überstanden. Sie waren nur völlig verschlammt, als sie am Tage nach der Überschwemmung geholt wurden, nachdem das Wasser abgeflossen war.

Es folgten noch einige stille Sonnentage, der ganze Wald leuchtete gelb, rot und grün, und Christel konnte noch ein paarmal ganz langsam und leise über die Waldwege gehen, wie sie es so gern tat, um hier und da zu horchen und zu beobachten.

Da verhandelte zum Beispiel eine große Schar Zugvögel hoch oben in den Baumwipfeln eifrig miteinander. Stundenlang zwitscherten sie halblaut miteinander. Christel hatte sich auf einen Baumstumpf gesetzt und hörte zu. Später meinte sie zu Wilfried, man habe genau hören können, wie einzelne Vögel die Wortführer waren und Vorschläge machten, und die anderen zustimmten oder ablehnten.

Einmal sah sie einen Junghasen, der Männchen machend neugierig zu ihr herüberschaute, ein andermal flüchtete ein Rudel Rehe wenige Schritte vor ihr über den Weg, und auch ein Fuchs begegnete ihr.

Sie rief: „Strolch!"

Aber er achtete nicht darauf, also war er es wohl auch nicht.

In diesen Tagen fand Christel einen neuen Freund; aber nicht im Wald, sondern gleich vor der Haustür im Garten.

Jonas hieß er bei ihr. Fast jeden Mittag, wenn sie aus der Schule kam, sprang er ihr fröhlich entgegen, um sie zu begrüßen.

Manchmal aber hatte er dazu keine Zeit, weil er sich gerade bei der Erntearbeit befand. Dann rief er ihr sein „Guten Tag, Christel!" keckernd aus dem Walnußbaum entgegen.

Jonas war nämlich ein Eichhörnchen, offenbar der Vater einer ungewöhnlich kinderreichen Familie, denn sein Bedarf an Nüssen war gewaltig. Selbst wenn ihm einmal eine aus den Pfötchen glitt und zur Erde fiel, keckerte Jonas ärgerlich vom Ast herunter, sobald Christel oder Wilfried sich erlaubten, sie aufzuheben und selber zu essen. Eigentlich waren die Nüsse noch gar nicht reif genug zum Abschütteln, aber Mutter Waldrich, die Forstmeisterin, meinte besorgt:

„Wenn wir Jonas noch lange ernten lassen, sehe ich kommen, daß der Rest, den er uns übrigläßt, nicht mal mehr ausreicht, um davon zu Vaters Geburtstag seine Lieblingstorte zu backen."

Das war natürlich übertrieben, aber man konnte wahrhaftig schon sehen, wie sich der Vorrat an kleinen grünen Kugeln zwischen den schmalen gelben Blättern lichtete.

„Man braucht ja nur mal zu beobachten, wo Jonas die Nüsse hinbringt", sagte Wilfried, „dann kann man ihm einfach sein Winterlager wieder ausräumen."

„Kommt nicht in Frage!" widersprach Christel mit Entschiedenheit. „Dann müßten Jonas und seine Kinder ja im Winter verhungern."

„Seine Kinder?" Wilfried lachte. „Glaubst du vielleicht, Jonas sorgt noch für seine ausgewachsenen Nachkommen? Bei Eichhörnchens hat jeder für sich selber zu sorgen."

„Aber so viele Nüsse kann ein kleines Eichhörnchen doch unmöglich auffressen", meinte Christel.

Der Forstmeister war eben aus der Tür getreten und verabschiedete sich von der alten Mutter Buchholz, die sich wieder einen Erlaubnisschein zum Holzsammeln geholt hatte.

„Ja, ja", krächzte die Alte, „'s gibt 'nen strengen Winter, wenn die Eichhörnchen so viele Nüsse wegholen."

„Das ist damit noch nicht gesagt", erwiderte der Förster. „Die kleinen Hamsterer nehmen, was sie kriegen können, und ob sie nachher alles zu ihrer Nahrung brauchen, oder ob ein Teil davon in der Erde liegen bleibt, das kümmert sie nicht. Es geht ja nichts verloren, sondern daraus wachsen später neue Nußbäume. Das Eichhörnchen hat also ordnungsmäßig das getan, was vom lieben Gott vorgesehen war. Er hatte ja bei seiner Organisation nicht die Erfindung der Nußtorten und Weihnachtsteller mitberechnet."

Als Wilfried dann in die Zweige stieg und sie schüttelte, und Christel den herunterprasselnden Segen aufsammelte, kam doch noch eine ganz ansehnliche Menge von Nüssen zusammen. Sie wurden in große Wannen voll Wasser geworfen, damit die grüne Hülle von selber abgehen sollte. Einmal und nie wieder war Christel so leichtsinnig gewesen, trotz der Warnung des Bruders eine schon aufgeplatzte grüne Nußhülle mit den Fingern zu entfernen. Ihr Saft hatte die Hände unrettbar dunkelbraun gefärbt. Kein Waschmittel, Bimsstein und Zitronensaft hatten geholfen, die Farbe zu beseitigen, und es hatte wochenlang gedauert, bis Christel ihre Hände wieder richtig sauber kriegte.

Später wurden die Nüsse zum Trocknen auf den Steinplatten des Küchenhofes ausgebreitet. Dabei verschwanden über Nacht auch noch einige Dutzend.

Christel ließ seelenruhig den Verdacht auf ihrem Freund Jonas sitzen, er habe auch hier noch gestohlen. Die Nüsse sollten ihm ja sowieso zugute kommen. Wohlverwahrt lagen sie in einer Schublade der Puppenkommode, und Christel steckte sich täglich ein paar davon in die Manteltasche, um Jonas zu veranlassen, sie auch weiterhin zu begrüßen, wenn sie aus der Schule kam.

Der Vorrat war noch nicht zu Ende vernascht, da war es vorbei mit der täglichen Begegnung von Christel und Jonas. Eine Woche lang regnete und stürmte es fast ununterbrochen, und als dann eine blasse, verwaschene Sonne wieder schien, da war die ganze goldgrüne Pracht von den Bäumen verschwunden, und Jonas hatte sich in sein moosgepolstertes Nest zurückgezogen und sich zum wohlverdienten Winterschlaf in seinen buschigen Schwanz mollig eingerollt.

Auch im Forsthaus richtete man sich auf den Winter ein. Vater und Sohn sägten und spalteten Holz und schichteten es im Hof zu einer schönen großen Pyramide auf. Christel half der Mutter, die Geranien aus den Blumenkästen an der Veranda in Töpfe umzusetzen und in den Keller zu bringen. Die Erde aus den Kästen wurde auf den Komposthaufen geschüttet. Dabei machte Christel einen überraschenden Fund.

„Mutti, guck mal, wie kommen die denn hier herein?" rief sie erstaunt und zeigte auf mindestens drei Dutzend Walnüsse, die ihr beim Auskippen eines Blumenkastens vor die Füße gerollt waren. Eine Weile rätselten sie hin und her, wer sich wohl diesen Scherz geleistet haben mochte und zu welchem Zweck. Es konnte sich doch nur um ein Verstecken, eine heimliche Aufbewahrung, handeln und zwar von jemand, der nicht wußte, daß die Kästen im Winter weggeräumt wurden.

Diese Überlegung brachte Christel auf die richtige Vermutung. „Jonas natürlich! Na, der wird ja dumm gucken, wenn er die Nüsse im Winter holen will."

Abschied von Strolch

Jonas hatte recht daran getan, daß er sich von der Sonne nicht nochmal wecken ließ, die ohnehin nur stundenweise zwischen Wolken und Nebelschwaden herausschaute. Der Winter setzte früh ein in diesem Jahr, erst mit unangenehm trockener Kälte, dann mit Schnee. Danach gab es kurz vor Weihnachten noch einmal Matsch, aber gerade in den Feiertagen begann es wieder zu schneien. Die weiße Decke auf den Feldern wurde immer dicker, und die schimmernde Last auf den Tannenzweigen verwandelte das ganze Revier in einen Zauberwald.

Bisher hatte Christel immer bedauert, im Januar, so kurz nach Weihnachten, Geburtstag zu haben. Diesmal freute sie sich darüber, denn nun konnte sie sich noch etwas wünschen, wofür sie in den meist sehr milden Wintern ihres heimatlichen Flachlandes kaum Verwendung gehabt hätte: Skier. Und damit Christel die Kunst des Skilaufens nicht allein zu üben brauchte, bekam Wilfried gleich auch welche.

Jeden Mittag nach dem Essen liefen sie bis es dämmrig wurde hinaus — quer über die weiten, weißen Flächen der Felder und durch die Waldschneisen, und je geschickter ihre Körper für diesen schönen Wintersport wurden, um so länger konnten sie ihre Skitouren ausdehnen.

An einem herrlich sonnigen, windstillen **Sonntagmorgen**, als der Schnee im Licht glitzerte und im Schatten das Blau des Himmels widerspiegelte, beschlossen Wilfried und Christel, mit den Skiern zur Abwechslung einmal zum Fluß zu laufen. Jetzt bestand ja keine Gefahr, daß sie wieder in eine Überschwemmung geraten und vom Wasser eingeschlossen werden könnten. Sie trauten sich nun schon zu, von den kleinen Hügeln dort ihre ersten Abfahrten zu versuchen.

Wilfried probierte es zuerst. Er beugte sich weit nach vorn, so wie er es auf den Fotos berühmter Abfahrtsläufer gesehen hatte. Da aber das Gelände hier nicht so steil war wie in den Alpen, kriegte er das Übergewicht, und ein schwungvoller Kobolz vornüber war nicht zu vermeiden.

Christel erging es umgekehrt. Sie fing so zaghaft an zu rutschen, daß die langen Bretter mit ihr durchgingen. Sie setzte sich mit recht empfindlichem Bums hin, kam dann aber ganz bequem wie auf einem Schlitten unten an.

Nach einer halben Stunde hatten beide die richtige Haltung heraus, und es machte ihnen sehr viel Spaß.

„Guck mal, Christel, jetzt fahr' ich hier ab", rief Wilfried mit blanken Augen und roten Backen, „da ist es viel steiler." Und schon gab er sich Schwung, ging in die Hocke und sauste los. Eine Sekunde später landete er im dichten Brombeergestrüpp, das ihm eigentlich gar nicht im Wege gestanden hatte; Wilfried konnte sich selber nicht erklären, wieso es ihn unwiderstehlich wie ein Magnet angezogen hatte.

„Hast du dir wehgetan?" rief Christel besorgt hinunter, als sie sah, daß der Bruder nicht gleich wieder aufstand.

„Nee!" kam die beruhigende Antwort. „Aber die Skier haben sich so in den verflixten Ranken verheddert."

„Mach doch die Bindungen los!"

„Du bist aber ein schlaues Kind! Das versuche ich nämlich die ganze Zeit, aber ich liege so blöde, daß ich mit den Händen durch die Zweige nicht drankomme. Rutsch mal herunter und hilf mir, Christel! Vielleicht kannst du von der anderen Seite des Strauches an die Bindungen heran."

„Aber sonst hast du wohl keine Wünsche weiter?" fragte Cristel mit einem ängstlichen Blick auf den Abhang, der für ihre Anfängerbegriffe reichlich steil war. Doch dann überlegte sie sich, daß Wilfried nicht einen Augenblick zögern würde, wenn sie in dieser Lage wäre, und so setzte sie sich vorsichtshalber gleich hin und ließ sich abgleiten. Daß man die Fahrt auch mit den Skistöcken abbremsen konnte, hatte sie noch nicht heraus. So fuhr sie erst einmal an dem Strauch vorbei bis an den Fuß des Hügels, um von dort die wenigen Schritte bis zu den eingeklemmten Beinen von Wilfried wieder hinaufzusteigen.

Das tat sie jedoch nicht gleich, denn als sie unten ankam, entdeckte sie in einer kleinen, sichtlich von einem Körper eingedrückten Schneekuhle einen Blutfleck. Von hier aus ging eine Fährte in den Wald, neben der in unregelmäßigen Abständen ebenfalls Bluttropfen zu sehen waren.

Hastig erhob sich Christel und befreite sich von den Skiern. Auf die Sicherheit ihrer Füße konnte sie sich vorerst doch noch mehr verlassen. Dann stieg sie rasch hinauf, um Wilfried aus seiner Gefangenschaft zu erlösen, und erzählte ihm dabei von ihrer Entdeckung.

Nach einer kurzen Untersuchung der Spuren mit dem fachmännischen Blick des Förstersohnes erklärte Wilfried: „Da ist ein Fuchs angeschossen worden. Bestimmt von einem Wilderer — Schweinerei!"

„Vielleicht können wir den Fuchs noch retten", meinte Christel, „komm schnell!"

Sie schnallten die Skier wieder an und verfolgten die Spur, die über die Straße und eine kleine Böschung hinauf in alten, hochstämmigen Buchenbestand führte. Hier brauchten die Geschwister nicht lange zu suchen. Das Tier lag vor seinem Bau — steif und kalt, das Maul ein wenig geöffnet, so daß sein Gebiß zu sehen war. Vom linken, unteren Eckzahn fehlte die Spitze.

Als Christel das sah, kniete sie in den Schnee und griff nach der linken Vorderpfote des Fuchses. Sie zeigte deutlich eine Narbe.

„Strolch!" flüsterte Christel und streichelte den dichten, grauroten Winterpelz, während die Tränen über ihr Gesicht liefen. „Mein Strolchi!"

„Quatsch! Du siehst in jedem Fuchs den Strolch", fuhr Wilfried die Schwester an, lauter als es beabsichtigt war. Die Stimme klang so rauh und fremd und wollte ihm nicht recht gehorchen. Er wandte sich ab und fügte leise, wie beschwörend hinzu, so als wolle er sich seine eigene Lüge einreden: „Das ist doch gar nicht der Strolch, Christel, das ist er nicht!"

Christel gab keine Antwort. Sie stand auf, putzte sich die Nase, schluckte noch ein paarmal, dann sagte sie: „Komm, Wilfried, wir machen uns eine Trage aus Zweigen und nehmen ihn mit. Er soll an der Waldwiese begraben werden."

Aber Wilfried schüttelte den Kopf, ohne die Schwester anzusehen. „Das geht ja nicht, Christel. Solange der Boden gefroren ist, können wir ihn doch gar nicht begraben. Ich finde, es ist besser, wir lassen ihn hier und decken ihn mit Schnee zu."

Christel widersprach nicht, aber sie wandte sich nun selber ab und überließ es dem Bruder, einen kleinen Schneehügel über den toten vierbeinigen Freund zu häufen.

Langsam machten sie sich auf den Heimweg. Bis sie zu Hause ankamen, sprachen sie kein Wort miteinander, und Christel hatte genügend Zeit, sich auszuweinen und sich endlich mit dem Gedanken zu trösten, daß ihrem Strolch nun erspart bleiben würde, alt und krank zu werden.

Als die Geschwister später dem Vater erzählten, daß sie den armen Strolch erschossen aufgefunden hätten, meinte der Förster ernst:

„Ja, seht ihr, der Fuchs war dadurch, daß Christel ihn so verwöhnt hatte, zu vertrauensselig den Menschen gegenüber geworden. Das muß ein Wildling meistens teuer bezahlen. Entweder muß er in der Obhut der wohlmeinenden Menschen bleiben, dann bedeutet das für ihn Gefangenschaft, oder er bleibt in seiner Freiheit, dann wird er früher oder später ein Opfer seiner mangelnden Vorsicht. Zum Freundschaftschließen sind die Haustiere besser geeignet. Für sie können wir ja auch die Verantwortung übernehmen, daß ihnen nichts geschieht."

Christel nickte stumm. Natürlich hatte der Vater recht, aber mit seiner Behauptung, daß Haustiere zum Freundschaftschließen besser geeignet seien, war praktisch gar nichts anzufangen. Mit seinen Dackeln und dem Jagdhund „Treu" durfte man nicht spielen, denn damit würde man sie für die Jagd verderben. Der Kater Maunz ließ sich wohl gern mal streicheln und schnurrte wohlgefällig dabei, oder er strich einem im Vorbeigehen an den Beinen entlang, im übrigen aber ging er seine eigenen Wege und hatte gar kein Interesse daran, ob Christel ihm die Milch hinstellte oder irgend jemand anders.

Wie beneidenswert war dagegen Christels Schulkameradin Helga. Ihre Eltern besaßen eine schwarze Zwergpudelhündin, die Helga nach Herzenslust verwöhnen durfte, und die ihr auf Schritt und Tritt folgte. Die Hündin konnte schönmachen, auf den Hinterbeinen im Kreise tanzen, ein Zuckerstückchen auf der Nase balancieren, bis man ihr erlaubte, es zu schnappen, und noch vieles mehr. Alles das hatte Helga ihr beigebracht.

*

Am folgenden Sonntag kam Helga mit den Eltern und dem Pudel aus der Stadt zum Forsthaus hinaus, um einen Waldspaziergang zu machen. Christel hatte dies auf Helgas Geburtstagsfeier warm empfohlen — mit dem heimlichen Gedanken, ihre Eltern möchten von dem Pudelchen so angetan sein, daß sie auch eins anschafften, und das Christel dann allein betreuen durfte.

Leider schien der Versuch nicht gleich gelingen zu wollen. Der Förster kümmerte sich gar nicht um den Pudel, sondern unterhielt sich angeregt mit Helgas Vater, einem Tischlereibesitzer, über Holzarten und Preise, und die Försterin meinte, nachdem sie das Hundefräulein gestreichelt hatte, das krause Pudelfell fasse sich nicht so angenehm an wie das glatte von Dackeln und Jagdhunden.

Die Hunde durften alle am Spaziergang teilnehmen. Der Jagdhund „Treu" und die Dackel hatten den schwarzgelockten Gast bei der Begrüßung interessiert beschnüffelt. Aber später im Wald waren ihre Nasen nur noch am Boden.

Christel, Helga und der Pudel trennten sich bald von den Großen, die nur auf den breiten, bequem zu gehenden Schneisen wandern wollten, und liefen quer durch den Wald. Christel mußte dem Stadtmädel doch „ihre" Waldwiese zeigen, auf der jetzt, solange noch Schnee lag, eine große Futterraufe mit Heu für die Rehe und Hirsche stand.

Hier berichtete Christel von Strolch, dem Fuchs, und Bobby, dem Igel, erzählte, wie sie nachts die Bisamratten beobachtet hatten, und als ihnen ein Eichhörnchen über den Weg sprang, rief sie: „Jonas!"

Das Eichhörnchen machte einen Satz hinter den nächsten Baum, kletterte ein Stück daran hinauf und guckte mit interessiert gespitzten Fransenöhrchen um den Stamm herum auf die Mädchen, als wollte es fragen: „Hat mich jemand gerufen?"

Nachdem es festgestellt hatte, daß die Mädchen stehenblieben und lachten, und daß auch der Pudel nur freundlich wedelnd zu ihm herüberschaute, sprang es beruhigt wieder auf den Boden hinab und lief eilig weiter.

„Ich denke, Eichhörnchen halten Winterschlaf", sagte Helga verwundert.

„Manchmal wachen sie vom Hunger auf und gehen mal eben an ihre Speisekammer", erklärte Christel, „dann schlafen sie weiter, bis es warm wird. — Ich staune aber", fuhr sie fort, „daß dein Pudel gar nicht versucht hat, das Eichhörnchen zu fangen. Ich hab' auch noch nicht gesehen, daß er eine Fährte aufnimmt."

„Sowas macht meine Sissi nicht", versicherte Helga mit Bestimmtheit. „Pudel interessieren sich überhaupt nicht für andere Tiere. Die kann man ruhig im Wald freilaufen lassen, sagt mein Vater."

„Prima!" rief Christel beglückt. „Dann könnte ich ja einen Pudel haben, der gar nicht erst dazu erzogen werden muß, daß er nicht wildert. Das ist nämlich sehr schwierig", fügte sie hinzu, „und es dauert furchtbar lange, bis man den Jagdhunden beigebracht hat, daß sie sich wohl für die Spuren interessieren dürfen aber das Wild nicht jagen oder womöglich angreifen sollen." Sie nickte stolz. „Mein Vater kann das — Jagdhunde abrichten! Die beiden Teckel haben wir ja noch nicht so lange, aber sie sind jetzt schon ganz brav. Und der Treu — na, du — den solltest du mal auf einer Hasenjagd erleben. Das versteht er fast besser als mancher Jäger. Jedenfalls bildet sich Treu das ein. Im vorigen Winter hat er sich dabei ja was geleistet!"

Christel lachte in der Erinnerung an Treus selbständiges Unternehmen, und dann erzählte sie:

„Also, da kam ein Freund von Vati zu Besuch — kein Förster, aber einer, der selber irgendwo eine Jagd besitzt, also ein richtiger Jäger. Der wollte mal einen Hasen schießen. Mein Vater hatte aber gerade keine Zeit mitzugehen und sagte: ‚Nimm den Treu mit, auf den kannst du dich verlassen!'

Nun muß ich erst mal erklären, Helga", unterbrach Christel ihren Bericht, „daß Treu abgerichtet ist, den Hasen aufzuspüren und dicht vor seinem Versteck stehenzubleiben. Meistens ist das eine Ackerfurche oder sonst so eine Erdkuhle, wo der Löffelmann damit rechnet, daß man ihn nicht sieht. Das stimmt ja auch, aber — na ja — Treu riecht ihn eben."

„Und was macht er dann?" fragte Helga gespannt.

„Er bleibt ganz mucksmäuschenstill stehen", wiederholte Christel und machte eine Pause, um die Spannung ihrer Geschichte noch ein bißchen zu steigern. „Ja, und dann", fuhr sie gedehnt fort, „dann hebt er eine Vorderpfote — und dann wedelt er ganz sachte mit dem Schwanz — und dann guckt er sich nach Vati um und wartet, bis der ihm ein Zeichen gibt — das ist ein kurzer Pfiff. Erst legt Vati die Büchse an, dann macht er — hui!" Christel machte den Pfiff; er gelang ihr allerdings nicht so recht, und sie meinte, bei ihrem Vater hörte er sich besser an.

„Und was macht Treu?" Helga wollte nun endlich wissen, wie die Hasenjagd vor sich ging.

„Treu springt vor und bellt einmal, da erschrickt der Hase, macht einen Satz aus seinem Loch — es knallt — er überschlägt sich, und schon ist er tot, und Treu bringt ihn."

„Toll!" staunte Helga. „Und das klappt immer?"

„Immer!" sagte Christel mit energischer Betonung. „Bloß, wie gesagt, bei Vatis Freund, da war's anders. Er hat's uns nachher erzählt. — Da hatte also der Treu den Hasen aufgespürt, stand davor — so — Pfote hoch, schwanzwedelnd — und guckte sich nach dem Jäger um. Der stand aber so, daß er nicht schießen konnte, ohne Treu zu treffen. Also pfiff er nicht, ging langsam und vorsichtig ein Stück seitwärts und noch ein Stück, um eine andere Schußrichtung zu kriegen. — Und was soll ich dir sagen, Helga — da wird doch mein Treu ungeduldig — vielleicht hat sich auch der Hase gerührt und Treu hat gefürchtet, daß der ihm durch die Lappen geht — jedenfalls, Treu springt plötzlich draufzu, packt den Hasen am Genick, beißt es durch und legt ihn dem Jäger vor die Füße. Dabei hätte der Hund ein Gesicht gemacht, sagte Vatis Freund, als ob er sagen wollte: ‚Mensch, du Dussel, wenn du nicht schießen kannst, sag's doch gleich!'"

Helga lachte so laut über Treu's Unverschämtheit, daß ihre Pudelin sich springend und bellend daran beteiligte. Es sah aus, als hätte Sissi die Geschichte verstanden und wollte zum Ausdruck bringen, daß sie sie auch komisch fände.

Oma Waldgret

Schon am darauffolgenden Sonntag war es vorbei mit dem Zauber des verschneiten Waldes. Nach einer Sturmnacht war das Wetter plötzlich umgeschlagen, und am Morgen regnete es in Strömen. Die Schneedecke wurde löcherig und grau und löste sich rasch in riesige Pfützen auf. Kaum vierzehn Tage später, noch bevor der Kalender den Frühling ankündigte, war er da, wenn auch noch nicht mit grünem Laub und Vogelgesang, so doch wenigstens schon mit Sonnenschein und blauem Himmel, mit Krokussen auf dem Rasen und Weidenkätzchen am Gartenzaun.

Was sich der Winter an ausgiebigen Schneemassen geleistet hatte, wollte sich der Frühling an Feuchtigkeit offenbar ersparen. Es wurde ungewöhnlich trocken in diesen März- und Aprilwochen. Zu Ostern, das in diesem Jahr sehr spät war, konnte man schon leichtbekleidet im Garten sitzen.

Gleich nach den Feiertagen wollte der Forstmeister für den Rest der Woche in ein anderes Waldrevier, um mit dem Förster dort die Aufforstung zu besprechen. Als Unterkunft für diese Zeit wurde ihm ein kleines Jagdhaus angeboten, das ganz einsam mitten im Walde lag. Es diente sonst dem Jagdherrn als Wohnung, wenn er zur Jagd, allein oder mit Gästen, aus der Stadt herkam.

Da noch Ferien waren, durften Wilfried und Christel den Vater begleiten — unter der Bedingung allerdings, daß sie für ihn sorgten. Christel sollte das Haus sauber halten, die Betten machen und, wenn nötig, mal einen Knopf annähen, und Wilfried war der Koch. Da er den Pfadfindern angehörte, hatte er auf ihren Fahrten schon einiges in der Kochkunst gelernt. Er konnte von Rindfleisch eine kräftige Brühe kochen, wußte, daß man Nudeln ins siedende Wasser wirft, und daß Reis die doppelte Menge Wasser braucht, um gar und körnig zu werden, und das, meinte er, genügte für ein paar Tage Aufenthalt im Jagdhaus. Eigentlich war ihm auch das Kartoffelschälen und Gemüseputzen nicht mehr unbekannt, aber das tat er sehr ungern. Schließlich brauchte man ja, wenn man mit dem Vater verreiste, nicht so sparsam zu sein wie auf Fahrt mit den Pfadfindern, also durfte man wohl Büchsengemüse verwenden.

Im übrigen hatte auch Christel der Mutter schon etwas abgeguckt. Zum Beispiel verstand sie schon, ein paar Eiergerichte herzustellen und bat sich aus, das Abendbrot zu machen. Für alle Fälle steckte sie sich heimlich aus dem Küchenschrank das Reklameheft der Eierhandlung ein mit dem Titel: „Ratschläge der Henne Kunigunde", um rasch nachsehen zu können. Sie wollte sich doch vor den Männern nicht blamieren.

In ausgelassener Ferienstimmung, ein Lied nach dem anderen singend, aber im gemächlichen Tempo fuhren sie mit dem Wagen eine gute Stunde bis vor das Forsthaus, in dem Förster Unger, der Kollege des Forstmeisters Waldrich, wohnte.

Die beiden Förster verhandelten lange miteinander; währenddessen bewirtete die Försterin Christel und Wilfried mit Kakao und Zwieback. Dann wurde der Wagen in einem Schuppen untergestellt, das Gepäck aus dem Kofferraum auf einen Handwagen umgeladen und es ging zu Fuß weiter zur Jagdhütte „St. Hubertus". Die Sonne schien so warm, daß die Strickjacken bald ausgezogen werden konnten.

Vom Waldweg stiegen bei jedem Schritt und hinter den Wagenrädern Staubwolken auf. Es war ungewöhnlich trocken für diese Jahreszeit, Ende April.

Der Forstmeister schüttelte bedenklich den Kopf, als sie an einer jungen Mischwaldschonung vorüberkamen. „Es müßte unbedingt regnen", meinte er.

„Aber bloß nicht jetzt!" rief Wilfried. „Erst, wenn die Ferien zu Ende sind." Er ahnte nicht, daß gerade die Trockenheit ihn in eine bedrohliche Lage bringen sollte.

Hinter der Schonung erhob sich eine merkwürdige Gesteinsbildung. Sie zeigte deutlich das Profil einer hageren Fratze mit langer Nase und einem Horn auf dem Kopf.

„Das scheint die sogenannte Teufelsklippe zu sein", meinte der Vater, „dahinter sollen wir uns links halten. Von da aus seien es bis zur Jagdhütte ‚St. Hubertus' nur noch ... hört ihr?" unterbrach sich der Förster. „Da schnarrt eine Wachtel. Sie scheint Gefahr zu wittern." Er blieb stehen und schaute sich um.

„Da! Seht ihr ihn?"

„Wo denn, Vati?" flüsterte Wilfried aufgeregt.

„Da oben — auf der Teufelsklippe! Ein Hühnerhabicht!"

Er hatte anscheinend eine Beute zwischen den Fängen, an der er gierig herumhackte. Und so bemerkte er zunächst nicht, daß sich drei Beobachter im Blickschutz einer Birkenreihe lautlos an ihn heranpirschten. Sie waren schon ganz nahe an ihn herangekommen und noch immer zeigte ihnen der große Raubvogel sein schwärzlichgraubraunes Obergefieder und den langen Schwanz. Doch unvermutet drehte er den Kopf, und seine gelben Augen entdeckten sofort die auf ihn gerichteten Blicke zwischen dem lichten Birkengrün. Mit hellklingendem „iwiä — iwiä!" flog er über die Schonung davon und verschwand in den Kiefern.

Der Forstmeister und seine Kinder setzten ihren Weg fort. Wundervoller Laub- und Nadelwald wechselte mit kargem Boden, auf dem im Frühherbst das Heidekraut üppig blühen und der Thymian würzig duften würde.

„Schön ist das hier!" rief Christel begeistert. „Kommt, wir wollen uns ein bißchen hinsetzen und ausruhen. Da drüben unter den Birken ist ganz dichtes Gras!"

„Aber feuchter Boden", gab der Vater zu bedenken. „Wenn wir dort eine Weile sitzen, kriegen wir nasse Buxen. Ich schlage vor, wir ruhen uns lieber woanders aus — und zwar hier!" Er ging auf eine Gruppe junger Lärchen zu, die am Saum eines Waldstücks mit hohen, alten Kiefern standen.

Nachdem sie sich überzeugt hatten, daß die Erde keine großen Waldameisen beherbergte, streckten sie sich behaglich aus und blickten froh in den strahlenden blauen Himmel hinein.

„Erzähl' uns was Schönes, Vati!" verlangte Christel. „Was von Tieren!"

„Aber nicht von unseren Tieren hier, die wir kennen", fügte Wilfried hinzu, „sondern was Interessantes von Tieren in anderen Ländern."

„Ich kann bei meiner Geschichte in unserem Land bleiben", erwiderte der Vater, „und euch doch von Tieren erzählen, die ihr hier nie gesehen habt.

Vor etlichen Millionen Jahren gab es in dieser Gegend nämlich auch Palmen und Sumpfzypressen, Koniferen und Zimtbäume. In den von dichten Bambusgewächsen umsäumten Gewässern tummelten sich gefräßige Krokodile. Durch die tropische Wildnis zogen Nashörner und Tapire, schlichen Großkatzen und trompeteten Urelefanten ..."

„Und hier wohnten Neger?" fragte Christel.

„Ach wo, von Menschen war damals überhaupt noch nicht die Rede. Diese Art von Lebewesen gibt es erst seit etwa fünfhundert- bis sechshunderttausend Jahren. Inzwischen hatte sich unsere Erde mehrmals gewaltig verändert. Eiszeiten waren über sie hinweggegangen, Norddeutschland war vom Meer überflutet, und weiter im Süden, auf dem Lande, lagerten unvorstellbar dicke Massen von Eis. Sie erdrückten die ganze Pflanzen- und Tierwelt und vergruben sie unter Mergel, Ton, Sand und Kies. In diesen Schichten finden wir noch manchmal Überreste des Mammuts, des Urelefanten, der damals in großen Herden hier umhertrottete. Unter uns liegt eine versunkene Welt. Immer mehr Erd- und Gesteins-schichten haben sich darübergehäuft und die gewaltigen Urwälder so stark und so lange zusammengepreßt, bis schließlich Kohle daraus wurde."

„Und dann kam der Mensch", ergänzte Wilfried, „buddelte sie aus, steckt sie nun einfach in den Ofen und verbrennt sie. — Ja, aber Vati, wenn der Vorrat mal zu Ende ist — und das Erdöl auch — womit heizen wir ..."

Ein ungewöhnlicher Schrei zerriß die Unterhaltung. Alle drei sprangen erschrocken auf.

„Was war das?" flüsterte Christel und drückte sich ängstlich an den Vater.

Hatten sie sich geirrt? Sie horchten, aber es blieb alles friedlich. In der Krone einer hohen Fichte gurrte ein wilder Tauber. Aus dem Rottannenbusch nebenan schlug ein Fink. Auf der Nadelstreu eines Ameisenbaues stand ein rotkäppiger Grünspecht, der eifrig seinen Schnabel in den Haufen stach und mit klebriger Zunge Puppen und Kerbtiere herausholte.

Auf einmal knackte es irgendwo in der Nähe. Der Specht strich ab, und auch das Rucksen des Taubers verstummte, aber es war noch nichts Verdächtiges zu sehen. Trotzdem horchten der Förster, Wil-fried und Christel gespannt.

Nach einer Weile war wieder das Brechen trockenen Holzes zu hören, aber weiter nichts. Eine unheimliche Stille lastete jetzt ringsum.

Da kreischte ein Eichelhäher auf, und dann war da noch ein Ge-räusch, das so klang, als plansche es irgendwo. Da mußte doch Was-ser in der Nähe sein?

Ächzte nicht eben jemand?

„Hallo!" rief der Förster. „Wer ist da?"

„Hilfe! — — — Hilfe!" stöhnte eine matte Stimme.

So schnell er konnte, durchbrach der Förster die Büsche. Wilfried und Christel folgten ihm. Sie zwängten sich durch das Unterholz und kamen schließlich an einen Weiher, über dessen Rand sich eine Moorweide weit vorbeugte.

Darunter entdeckten sie ein altes Mütterchen, das sich mit dürren

Händen an einem Zweig festklammerte und einen Halt suchte. Silbernes Haar umkränzte aufgelöst das faltenreiche, angsterfüllte Gesicht.

Der Förster legte sich der Länge nach über den Stamm und ermunterte die absinkende Frau, seine rechte Hand zu ergreifen, während er sich mit der linken festhielt und dabei den Oberkörper soweit wie möglich hinabließ.

Als sie zitternd sein Gelenk umfaßt hatte, schob er sich langsam zurück und zog die Greisin nach, bis sie aus Schlamm und Wasser herauskam.

Die arme Alte war völlig erschöpft. Der Förster stützte sie und führte sie zu einem Baumstumpf, auf dem sie sich in der Sonne erst einmal erholen und wärmen sollte.

Inzwischen schaffte Wilfried das Bündel Leseholz, das neben der Weide am Ufer des Weihers lag, und einen mit Kienäpfeln gefüllten Beutel heran.

Die alte Frau saß vornübergesunken da; ihre Hände lagen gefaltet im Schoß auf der triefend nassen Schürze.

Christel kniete nieder, streichelte die zitternden, knochigen Finger und murmelte dabei tröstend: „Arme Oma — arme liebe Oma!"

Sie lächelte Christel, immerzu mit dem Kopf nickend, zu, wobei sich die unzähligen Runzeln um die Augen und den schmalen Mund noch vertieften.

Der Förster setzte sich neben sie ins Gras. „Nun sagen Sie bloß, wie ist denn das passiert? Haben Sie nicht aufgepaßt?"

Die Alte schüttelte den Kopf. „Es war unvorsichtig von mir", murmelte sie mit brüchiger Greisenstimme. „Ich wollte ein Stück Holz herausfischen und bin dabei hineingeplumpst. — Ich danke Ihnen! Ohne Ihre Hilfe wäre ich aus dem Sumpf nicht wieder herausgekommen. — Ja, ja, so kann's gehen — ja, ja ..."

„Sollen wir dich — oh, Verzeihung — sollen wir Sie nach Hause begleiten?" fragte Christel.

„Du kannst ruhig ‚du' zu mir sagen, liebes Mädel. Das tut wohl, weil du mich an mein jüngstes Enkelkind erinnerst."

„Wir wissen ja aber noch gar nicht, wie du heißt?" wandte Christel
ein. „Sagst du uns wohl deinen Namen, Oma?"

Die Alte überhörte die Frage und schaute an Christel vorbei, als
sähe sie die Bilder ihrer Vergangenheit in weiter Ferne vor sich
aufsteigen. Aber sie schien doch zugehört zu haben, denn sie
fragte:

„Ihr seid wohl zu Besuch hier? Meinen Namen kennt in dieser
Gegend sonst jeder."

Sie machte eine schwache Armbewegung zu einer Gruppe hoch-
stämmiger Kiefern hin. „Die Bäume und ich, wir sind zusammen alt
geworden.

Dahinten, in der Heide, im Forsthaus ‚Sieben Eichen', bin ich
geboren. Über achtzig Jahre ist das schon her. Wie haben wir uns
seitdem verändert. Kiefern und Fichten sah ich aufwachsen, bis sie
wieder gefällt wurden; die Buchen und Eichen sind geblieben. Ich
hab' mich nie von ihnen trennen können — nein, nein! Einmal kam
einer aus der Stadt, der wollte mich heiraten. Ein feiner junger Herr
war das. Aber ich wollte nicht. Nein, nein, das wäre ein Unglück
geworden für mich. Ich wußte wohl, daß ich in meinem Wald bleiben muß. Darum nannten sie mich alle Waldgret. So heiße ich heute
noch."

„Waldgret — das klingt hübsch", sagte Christel, „erzähl' uns noch
mehr von früher, Oma Waldgret!"

„Ich fürchte, Sie werden sich erkälten, wenn Sie noch länger in
den nassen Kleidern hier sitzen", meinte der Förster. „Kommen Sie,
wir bringen Sie heim. Auf dem Weg können Sie uns vielleicht noch
etwas erzählen."

Da die alte Waldgret nicht weit von der Jagdhütte entfernt
wohnte, an der sie sogar vorübergehen mußten, lud Wilfried das
gesammelte Holz der alten Frau und ihren Sack mit Tannenzapfen
oben auf den Handwagen, mit dem das Gepäck befördert wurde,
und sie gingen zusammen weiter. Jetzt ging es natürlich recht langsam. Der Förster hatte die Waldgret untergefaßt und stützte sie,
obwohl sie meinte, daß sie das noch gar nicht nötig habe. Sie sei
doch noch ganz rüstig und ginge sonst auch allein.

„Wen hast du denn dann geheiratet, Oma Waldgret, wenn du

den feinen Herrn aus der Stadt nicht haben wolltest?" fragte Christel.

„Den Heider hab' ich genommen. Das war ein stattlicher, hübscher Bursche. Und er war Waldarbeiter, gerade der richtige für mich."

„Den hätte ich auch lieber genommen als einen aus der Stadt", erklärte Christel bestimmt.

„Wir lebten glücklich miteinander, über vierzig Jahre. Sechs tüchtige Kinder hab' ich — und vierzehn Enkel — zwei Urenkel auch schon. Alle wollen, daß ich zu ihnen komme, aber ich geh' aus meinem Wald nicht raus."

„Du mußt ja auch bei deinem Mann bleiben, Oma Waldgret" meinte Christel.

„Ach nein, ich wohne ganz allein, mein Kind. Der Heider, der lebt nicht mehr, der ist schon lange beim lieben Gott. Heute, da hätte er mich ja beinahe auch zu sich geholt. Aber, da seid ihr gekommen — na ja, es sollte wohl noch nicht sein — ja ja, wie das so geht. — Da drüben ist die Jagdhütte — ich geh' hier weiter geradeaus."

Sie lehnte es energisch ab, sich noch weiter begleiten zu lassen, ergriff ihr Holzbündel und den Beutel und wackelte davon.

Der Förster und seine Kinder blickten ihr gerührt nach.

Irgendwo flötete ein Pirol, und drüben, aus den Hängebirken, die im Schmuck ihrer Kätzchen prangten, schmetterte wieder ein Fink sein Liebeslied.

Der Zaunkönig und der Bär

Das Jagdhaus „St. Hubertus" lag etwas erhöht wie auf einer bewaldeten Insel inmitten der Heidelandschaft mit ihren reizvollen, abwechslungsreichen Bildern von Moor- und Heideflächen, dunklen Wacholderbüschen, hellen Birken und leuchtend grünen Laub- und Tannenforsten.

Auf ihren ersten Streifzügen entdeckten Wilfried und Christel viele Schlupfwinkel von allerlei Getier unter verwildertem Rhododendrongesträuch und im dunklen Dickicht jungen Tannengehölzes. Vor allem aber fesselte sie eine geheimnisvolle unterirdische Anlage halb zerfallener Gewölbe hinter Mauerresten, die von dornigen Hecken überwuchert waren.

„Das war sicher das Schloß von Dornröschen", meinte Christel.

„Oder eine Räuberburg", vermutete Wilfried.

Es erwies sich später, daß er damit nicht ganz unrecht hatte. Ursprünglich sollte hier zwar ein Kloster gestanden haben. Aber als die Pest über das Land kam, an der die meisten der Mönche starben, waren die wenigen Überlebenden ausgewandert, und später hatte sich in dem leeren Gebäude allerlei lichtscheues Gesindel eingenistet, das die Umgebung unsicher machte, bis sich die Bewohner der umliegenden Dörfer zusammentaten, den Räubern mutig mit Dreschflegeln, Sensen und Feuer zu Leibe rückten und dem Unwesen ein Ende machten. Seitdem, so hieß es, spuke es in dieser Gegend.

„Mir scheint eher", meinte Wilfried, „daß die Gespenster ganz handfeste Ratten und Feldmäuse sind."

Und damit hatte er auch recht.

Christel hatte ebenfalls nicht viel für Geisteraberglauben übrig. Als echtes Försterkind war sie gar nicht erst dazu gekommen, sich das Gruseln anzugewöhnen.

Seit Jahren schon ging sie gern mit dem Vater und Wilfried im Herbst bei beginnender Dunkelheit durch den Wald, wenn zwischen dem Unterholz und den hohen Stämmen und auf den Lichtungen die Nebelschwaden aufstiegen, brodelten und wie dichte Schleier auf- und niederwallten. Dann knackte es hier und knarrte es dort, es raschelte im welken Laub und schnaufte auf einmal irgendwo, und plötzlich erklang ganz in der Nähe das tiefe Grollen eines Hirsches.

Auf den Lichtungen konnte man dann manchmal hier und da ein Geweih auftauchen sehen. Gleich darauf verschwand es wieder unter der im Mondlicht weiß schimmernden Nebeldecke, und harte Schläge kündeten von dem unerbittlichen Kampf, der hier geführt wurde.

Wenn man ganz stillstand und horchte und beobachtete, konnte es vorkommen, daß ein Waldkauz dicht über dem Kopf dahinstrich. Man fühlte nur den schwachen Luftzug und sah den Vogel über die Wiese auf einen Baum zu gleiten mit weichem, lautlosem Flügelschlag wie ein im Wind fliegendes Wolltuch.

Kurzum, Christel war hinreichend an unvorhergesehene Anblicke und Geräusche gewöhnt und glaubte nicht an Gespenster oder andere unerklärbare Dinge.

Und doch sollten sie und Wilfried bald erfahren, daß sich in diesem verrufenen alten Gemäuer bei der Jagdhütte „St. Hubertus" etwas zutragen konnte, das zwar nicht gerade gespenstisch, aber doch recht ungewöhnlich war.

*

Am zweiten Morgen nach ihrer Ankunft saßen sie mit dem Vater auf der Veranda des kleinen Blockhauses beim Frühstück, und Christel erzählte, daß sie in der Nähe der alten Klostermauer einen Zaunkönig gesehen habe, der Halme im Schnäbelchen trug. Er sei also beim Nestbau gewesen.

„Ich möchte ja zu gerne das Nest von dem kleinen Matz finden", fügte sie hinzu, „das muß doch niedlich sein."

„Dann such' es doch mal", ermunterte sie der Vater, „vielleicht ist es in der Dornenhecke an der Mauer. Aber du mußt vorsichtig sein, keine Ranken auseinanderbiegen, Zaunkönige sind sehr scheu und können es gar nicht leiden, wenn man sie beim Brüten oder auch nur bei den Vorbereitungen dazu stört."

Christel schüttelte den Kopf. „Nein, nein, Vati, du kannst ganz beruhigt sein, ich werde mir nicht erlauben, die königlichen Herrschaften zu stören — noch dazu, wenn sie womöglich im Dornröschenschloß wohnen. — Übrigens", berichtete sie weiter, während sie aufmerksam den langen Honigfaden beobachtet, mit dem sie auf ihrem Butterbrötchen Kringel malte, „übrigens war da ein Vogel, den ich noch nie gesehen habe."

„Ach, das war doch eine ganz simple Meise", erklärte Wilfried.

„Ja, du weißt es natürlich wieder ganz genau. Du hast ihn ja nur wegfliegen sehen." Christel hob angriffslustig den Honiglöffel, als wollte sie dem Bruder damit auf den Scheitel klopfen. Aber Wilfried hatte rasch ihre Hand gepackt und steckte sich den Löffel in den Mund.

Christel lachte. „Na, nun ist der Bär hoffentlich zufrieden, der Honiglecker, und brummt mir nicht mehr dazwischen. — Also Vati, paß' auf, der Vogel sah so aus: weißes Köpfchen, an den Seiten schwarze Streifen", sie strich mit den Daumen und Zeigefingern über ihre Augen und die Ohren zum Hinterkopf, „eine weiße Weste hatte er, rechts und links war sie rosarot", ihre Hände glitten am Körper entlang, als beschriebe sie ein neues Festkleid, „und der Rücken war schwarz, der Schwanz auch — nein, warte mal, war er schwarz?" Christel starrte in die Luft und überlegte, dann nickte sie. „Ja, schwarz war er — mit ein paar weißen Federn an den Seiten. Und denk mal, Vati, der Schwanz war ganz lang, mindestens so lang wie das ganze Vögelchen mit Kopf! Niedlich! Was kann das für ein Vogel gewesen sein?"

„Das klingt mir allerdings auch so, als ob du da eine von den vielen Meisenarten gesehen hättest. Wahrscheinlich war es eine Schwanzmeise. Die kommt nicht so häufig vor. Bei uns habe ich sie tatsächlich auch noch nicht beobachtet. Sieh mal zu, ob du von ihr auch das Nest ausfindig machen kannst."

„Sei nicht so leichtsinnig, Vati!" warnte Wilfried. „Du kennst doch deine Tochter. Die hat sowieso schon einen Vogel. Wenn du sie auch noch ermunterst, sich mit den hiesigen Schwanzmeisen und Zaunkönigen anzufreunden, sehe ich kommen, daß uns bei der Rückfahrt ein ganzer Schwarm davon nachfliegt."

Der Förster lachte und stand auf. „Das soll mir nur recht sein. Von solchen Tieren kann man nie zuviel im Revier haben. Außerdem wäre es nur zu begrüßen, wenn es bei allen Menschen nicht anders piepte als bei Christel", er streichelte über ihr Haar, „was, mein kleiner Spatz? — Und jetzt muß ich gehen, ich bin um zehn Uhr mit dem Förster Unger verabredet. Vielleicht werde ich mit ihm zusammen zu Mittag essen, du brauchst also nur für euch beide etwas zu kochen, lieber Meisterkoch." Er klopfte seinem Sohn auf die Schulter. „Dafür erbitte ich aber zum Nachmittag starken, abgekühlten Tee. — Eine Wärme ist das schon — wie im Sommer. Das kann ja heiter werden, wenn es so weitergeht. — Also, viel Spaß heute — auf Wiedersehen."

Sie winkten dem Vater von der Veranda aus nach, dann sahen sie sich gleichzeitig an.

„Weißt du was?" kam es zweistimmig wie aus einem Mund.

Christel lachte. „Genau das wollte ich auch vorschlagen."

„Was denn?"

„Daß wir nur rasch den Frühstückstisch abräumen und sonst alles stehen und liegen lassen."

Wilfried nickte. „Meinte ich auch! Bude zu und ab zur Räuberburg!"

„Zum Dornröschenschloß!"

„Räuberburg!"

„Dornröschenschloß!"

Das wurde so oft und immer schneller wiederholt, bis eine Dornröschenburg und ein Räuberschloß daraus geworden waren, und die Geschwister einträchtig dem gemeinsamen Ziel zuliefen.

*

Das Gestrüpp umwucherte die ganze Ruine auf einer schmalen Lichtung. Hohe, dunkle Tannen standen rundum, dazwischen einzelne Faulbäume, deren Blüten einen betäubenden Duft verbreiteten. Auch das trug dazu bei, daß dieser Platz sogar für die Försterkinder weit fort von allem gewohnten Alltag zu liegen schien und so märchenhaft verwunschen wirkte.

Christel hatte, bevor sie losgegangen waren, in ihrem Büchlein „Vögel unserer Heimat" nachgesehen und festgestellt, daß sowohl der Zaunkönig als auch die Schwanzmeise beutelähnliche Nisthöhlen bauen, die sie mit einem Schlupfloch versehen.

Vorsichtig durchstöberte sie nun die Hecke. Um die Zweige nicht auseinander zu biegen, kroch sie hier und da unter die Sträucher und schaute von unten nach oben durch das wirre Gerank. Aber so aufmerksam und gründlich sie sich auch umsah, sie hatte keinen Erfolg.

„Ach, laß das doch!" rief Wilfried. „Komm mal her — hier ist so ein schöner Feuersalamander."

„Wo denn?" Christel blickte sich um. „Wo bist du denn?"

Da schwirrte plötzlich etwas an ihr vorbei. Es war die Schwanzmeise. Und als Christel den Kopf nach ihr umwendete, entdeckte sie auch das Nest. Es war aus Moosen, Flechten und Birkenbast gebaut und sehr geschickt unter dem Blätterdach eines hohen Brombeerstrauches angebracht.

Die kleine Meise mit dem auffallend langen Schwanz umflatterte Christel aufgeregt und rief dabei ängstlich „zerr! — zerr!", was in ihrer Sprache soviel wie: „Laß die Finger von meinem Nest!" heißen sollte.

Christel verstand sie auch sofort und sagte mit leiser Stimme beruhigend: „Nein, nein, liebes Weißköpfchen, ich geh' nicht dran. Brauchst keine Angst zu haben." Dabei trat sie langsam rückwärts von dem Strauch fort.

Plötzlich wurde ihr Schritt aufgehalten, sie stieß mit dem Fuß und dem Rücken gegen einen Widerstand. Christel drehte sich um und sah ein abgebrochenes Stück von einer Säule, die neben einem Mauerrest aus der Erde ragte, von alten, dicken Efeuranken dicht überwuchert, die zum Teil schon verdorrt waren. An dem Säulenstumpf aber sprießte noch frisches Gün in unzähligen blanken, dreispitzigen Blättchen.

Ganz zufällig streifte Christels Blick diese Stelle und — sie traute ihren Augen kaum — fiel dabei direkt auf die Nestkugel des Vogelzwergleins: des Zaunkönigs. Und da tauchte im Einflugloch auch schon das winzige Köpfchen auf.

Christel stand unbeweglich und hielt den Atem an. ‚Ob er mich wohl bemerkt?' dachte sie dabei.

Die schwarzen Knöpfchenaugen in dem Vogelgesicht schienen das Gleiche zu fragen: ‚Ob sie mich wohl bemerkt?'

So schauten sie sich ein Weilchen an, dann machte Christel ganz leise:

„Pswswswsws!"

Der kleine Zaunkönig drehte verwundert das Köpfchen hin und her. Offenbar konnte er sich nicht erklären, was für ein fremdartiges Tier einen so merkwürdigen Ton von sich gab, den er noch nie gehört hatte.

„Christel, komm doch, sonst ist der Salamander weg", rief Wilfried. Er richtete sich auf, winkte mit dem Arm über die Mauer. „Hier bin ich!"

Aber Christel erging es in diesem Augenblick ebenso wie dem Zaunkönig. Sie hörte einen Ton, von dem sie sich nicht erklären konnte, welches Tier ihn wohl erzeugt haben mochte. Es schien ihr, als sei das Geräusch irgendwoher von unten gekommen. Sie schaute sich in der Runde um und horchte. Aber es war nichts Ungewöhnliches mehr zu hören, sondern nur die vielen Vogelstimmen und das emsige Geflatter zwischen Bäumen und Sträuchern.

Sollte sie sich getäuscht haben? Es war aber doch ein ziemlich lautes und deutliches Grollen, ganz tief, wie von einem Hirsch, nur im Ton anders. Außerdem pflegten Hirsche im Frühling nicht zu röhren, das wußte Christel genau.

„Bist du in die Versenkung gefallen, Christel?" fragte Wilfried. Da war es wieder!

„Sei doch still!" rief Christel halblaut. „Komm schnell her! Hier ist so ein komisches Gebrumm."

Wilfried kletterte an den Efeuranken wie auf einer Leiter hoch und kam über die Mauer.

„Vielleicht brummt's in deinem Schädel", meinte er lachend, „oder du hast Hummeln in der Büx." Aber dann hörte auch er den brummenden Laut und stutzte. „Mensch, Christel!" entfuhr es ihm. „Hier scheint's tatsächlich zu spuken."

„Gl — glaubst du wirklich?" stotterte Christel und wurde blaß.

„Quatsch, das hab' ich doch nur so gesagt. Wir werden schon dahinterkommen, wer sich hier erlaubt, zu gespenstern", versicherte der Bruder übertrieben forsch, denn so ganz geheuer war ihm die Sache auch nicht.

Langsam, Schritt vor Schritt, ging er um die Säule herum und an dem Mauerrest entlang. Neben einer hohen Dornenhecke blieb er plötzlich stehen, beugte sich vor, und dann winkte er Christel, nachzukommen.

Zögernd folgte sie, trat hinter ihn und blickte vorsichtig an ihm vorbei. Dann machte sie nur erstaunt: „Oh!"

Unten am Boden des verfallenen Gemäuers hatte Wilfried ein ziemlich großes Loch entdeckt, in dem eine schon stark abgebröckelte Treppe in die Finsternis hinabführte.

„Das Burgverlies!" murmelte Wilfried, ohne den Blick von der bedrohlich schwarzen Öffnung zu wenden. Und nachdem er lange genug mit sich gekämpft hatte und zu der Überzeugung gekommen war, daß er es seinem Ansehen vor der kleinen Schwester schuldig sei, nun den Unerschrockenen zu spielen, fügte er hinzu: „Ob ich mal hineinsteige und nachsehe, was da drin brummt?"

„Untersteh dich!" Christel packte den Bruder am Arm und zog daran, als sei er bereits auf dem Wege, sich ins Verderben zu stürzen.

So fest entschlossen war er aber gar nicht zu solch kühner Tat. Doch nun reizte es ihn, wenigstens so zu tun. Die sich angstvoll zurückstemmende Christel hinter sich herziehend, trat er ein paar Schritte näher an die unheimliche Höhle heran. Doch gleich darauf wandte er sich mit krauser Nase davon ab.

„Pfui Deibel, das stinkt vielleicht da unten!" Er atmete erleichtert auf. „Nein, danke, da wird einem ja schlecht, wenn man . . ."

Weiter kam er nicht, denn aus dem Loch war jetzt ein Schnaufen zu hören und dann ein Geräusch, das so klang, als scheuere sich ein schwerer Körper an der Wand.

Die Geschwister sahen sich an.

„Was kann denn das sein?" flüsterte Christel zitternd.

Wilfried hob die Schultern. „Keine Ahnung! — Na, jedenfalls kein Gespenst, sondern irgendein Tier." Plötzlich erwachte der Pfadfinder in ihm. „Dann müssen hier ja Spuren sein." Er begann, in gebückter Haltung den Boden abzusuchen.

Christel nahm aufatmend die Gelegenheit wahr, rasch ein Stück weiter weg von dem unheimlichen Ort zu laufen, obwohl Wilfried inzwischen eine Erkläruneg gefunden hatte, die ganz einleuchtend war. Er meinte nämlich, vielleicht hätte eine Wildsau — oder womöglich mehr als eine — da unten eine Wohnung gemietet, wenn auch das Brummen gar nicht wildschweinähnlich klang.

„Wilfried, guck mal, was sind denn das für große Pratzen?" rief Christel plötzlich aufgeregt. Sie hockte vor einer zerwühlten Stelle des Waldbodens, wo ein paar Dutzend Ameisen hastig umherkrabbelten. Es war deutlich zu erkennen, daß die Erde von starken

Krallen auseinandergekratzt worden war, und rundherum waren Abdrücke von Pfoten, viel größer als Christels Hand, mit fünf Zehen, die fast gerade nebeneinanderlagen, wie bei einem menschlichen Fuß, aber viel kürzer und breiter.

Kopfschüttelnd betrachtete Wilfried diese Fährte. „Jetzt wird's verrückt", meinte er endlich, „das sieht aus wie Bärentatze."

„Womöglich gibt's hier wirklich noch welche", meinte Christel, „weißt du, aus der früheren Zeit, von der Vati uns erzählt hat."

„Ach, Schwesterchen!" sagte Wilfried und blickte sie mit zur Seite geneigtem Kopf mitleidig an, „nächstens glaubst du wohl wieder an den Osterhasen. Vati sprach nämlich von der Zeit der Saurier vor vielen Millionen Jahren. Und daß in dieser Gegend hier mal die alten Germanen auf Bärenjagd gegangen sind, ist auch schon ziemlich lange her."

„Tu dich doch nicht immer so allwissend", verwies ihn Christel ärgerlich, „sondern sag' mir lieber, wie du dir diese Abdrücke erklärst. Schließlich hab' ich ja nicht behauptet, das seien Bärentatzen, sondern du."

„Tja —", Wilfried fuhr sich verlegen mit den Fingern durch die Haare, „erklären kann ich mir das allerdings auch nicht. Wir werden heute nachmittag die Fährte Vati zeigen. Mal hören, was er dazu meint."

Das Erlebnis beschäftigte die Geschwister so sehr, daß sie darüber vergaßen, den Tee rechtzeitig genug zu brühen, um ihn noch abzukühlen. Der Vater hatte aber Verständnis dafür, als er von der Entdeckung des unterirdischen Gewölbes und seines geheimnisvollen Bewohners hörte.

„Ihr macht mich aber wirklich neugierig. Da gehen wir doch am besten gleich hin. Vielleicht ist es ein alter, mürrischer Keiler, der sich vom Rudel gelöst und da unten sein Lager aufgeschlagen hat; dann wäre auch das Schuffeln an der Wand zu erklären."

„Ja, aber das tiefe Brummen, Vati, und der eklige Geruch?" wandte Wilfried ein.

„So ein grimmiges Borstentier bringt manchmal recht merkwürdige Laute hervor, die unter der Erde anders klingen als im Freien.

Außerdem riecht es dort unten gewiß nach Moder, und wenn sich ein Wildschwein länger darin aufhält, dann ist die Luft nicht die beste."

„Aber die Fährte — — —?"

„Die muß ich mir erst mal ansehen. Nach eurer Beschreibung müßte es sich ja um einen Sohlengänger handeln, die bei uns längst ausgestorben sind."

Gleich nach dem Tee gingen sie los und erreichten bald den zerscharrten Ameisenhügel.

Kaum hatte der Förster einen Blick auf die Spuren geworfen, rief er aus: „Das sind wahrhaftig Bärentatzen!"

„Woher weißt du das so bestimmt, Vati" fragte Wilfried erstaunt.

„Als ich noch in den Bergwäldern von Siebenbürgen als Forstgehilfe tätig war, bin ich dem Petz oft begegnet", erklärte der Vater. „Daher sind mir seine Branten gut in Erinnerung. Es fragt sich nur, wie ausgerechnet hierher — halt, Moment mal!" unterbrach sich der Förster. „Jetzt fällt mir ein, daß in der Zeitung eine Notiz stand über einen Tanzbären, der von einem Jahrmarkt ausgerissen sein soll. Ich habe flüchtig darüberweg gelesen, weil es mich nicht weiter interessierte, darum weiß ich auch nicht, wo das war. Es kann also gut möglich sein, daß es in dieser Gegend passiert ist. Die Ortsnamen der Nester hier rundum kenne ich ja größtenteils nicht. Es wäre also gar nicht ausgeschlossen ... los, Kinder, zeigt mir mal den Kellereingang!"

„Das ist der Bär!" rief Wilfried begeistert. „Bestimmt ist er das!"

„Wie groß ist denn so ein Tanzbär, Vati?" wollte Christel wissen.

„Das kommt auf die Art und das Alter an. Meist sind es ja osteuropäische Braunbären. Ausgewachsen sind sie etwa so groß wie ein mittelgroßer Mann, wenn sie sich aufrichten."

Sie waren inzwischen über eine kleine Lichtung an das Kellerloch gekommen. Der Förster bückte sich, roch hinein, dann nahm er einen Stein und warf ihn hinunter.

Ein böses Brummen antwortete.

„Da habt ihr wahrhaftig den Ausreißer entdeckt." Er nahm seine Kinder bei den Schultern und trat rasch hinter die Hecke. „Kommt zurück! In die Enge getriebene Bären sind gefährlich."

„Was machen wir denn nun, Vati?" flüsterte Wilfried. „Ich möchte ihn doch gern mal sehen, wenn er herauskommt. Aber erschießen darfst du ihn nicht!"

„Hm!" machte der Förster und wiegte bedenklich den Kopf. „Eigentlich muß ein Raubtier unschädlich gemacht werden. Überlege dir doch, wenn die alte Waldgret oder irgendein anderer hier ahnungslos vorbeigeht, und dann käme auf einmal diese Bestie an. Alte Leute können allein schon vom Schreck tot umfallen."

„Könnte man nicht irgendwas vor das Loch klemmen, damit er nicht heraus kann", überlegte Christel, „und dann den Leuten vom Jahrmarkt Bescheid sagen?"

Der Förster blickte schmunzelnd auf Christel und Wilfried. „Genau das hatte ich vor. Oder dachtet ihr wirklich, ich würde ihn töten? Das Tier ist ja viel zu wertvoll. Außerdem besteht gar keine Gefahr mehr, wenn wir sein Lager abriegeln. Also kommt! Wir müssen den Zugang schleunigst versperren."

„Wir müssen ihm aber erst Futter hineintun", meinte Christel, „was nehmen wir denn da? — Ob er wohl Mohrrüben mag?" fragte sie hoffnungsfroh. Die Mutter hatte eine große Tüte voll davon mitgegeben und dazu Zitronen und Zucker, um Rohkostsalat daraus zu machen. Den aß Christel zwar gern, aber nur, wenn sie ihn nicht selber zurecht zu machen brauchte. Denn das war viel Arbeit und außerdem kam man beim Raspeln so leicht mit den Fingern an die Reibe und tat sich weh. Sie war also sehr froh, als der Vater sagte, die Mohrrüben solle sie nur dem Petz spendieren, die fräße er besonders gern.

Zur Abdeckung des Kellereinstieges wurde der große Fußabstreicher aus Flacheisenstäben genommen, der am Eingang der Jagdhütte lag. Außerdem holten sie sich zwei starke Rammpfähle von einem Holzstapel, die das Gitter fest gegen das Mauerwerk drücken sollten.

Bevor sie aber darangehen konnten, den Bären einzuschließen, wollten sie ihm die Mohrrüben in seine Behausung hineinwerfen.

Als sie gerade die Lichtung überqueren wollten, riß der Förster seine Kinder hastig zurück und deutete schweigend auf die Ruine. Da kam der massige Körper des schwarzbraunen Bären zum Vorschein. Mit einem Ruck hatte der Förster Wilfried und Christel in die Hocke hinabgezogen, so daß der Bär sie hinter dem Unterholz, das die Lichtung abgrenzte, nicht sehen konnte. Sie selber aber hatten durch die Zweige gerade genug Sicht, um ihn zu beobachten.

„Ruhig verhalten!" flüsterte der Vater. „Die Witterung von euren Fußspuren macht ihn mißtrauisch."

Der Bär ging bedächtig um die Säule herum, dem Geruch nach. Plötzlich richtete er sich auf den Hinterbeinen auf, drehte sich behäbig im Kreise und prüfte die Luft.

Das wirkte so komisch und harmlos, daß Christel beinahe gelacht hätte, wäre nicht vom Vater noch rechtzeitig ein warnendes „Pst!" gekommen.

Dem Bären schien der Geruch nach Menschen höchst unangenehm zu sein. Er hatte wohl trübe Erfahrungen mit ihnen gemacht. Langsam ließ er sich auf seine Vorderpranken zurückfallen und trottete wieder in sein Versteck.

„Schade!" murmelte Wilfried und grinste. „Ich hatte schon gehofft, er würde sich auch mit Christel anfreunden und mit uns kommen. Was hätte das für eine Sensation in unserem Revier gegeben."

„Jetzt können wir nur allen Leuten davon erzählen, und sie werden glauben, wir wollten ihnen einen — Bären aufbinden", ergänzte der Förster lächelnd und erhob sich. „Ihr beiden bleibt vorläufig noch hier, und ich schleiche mich erst einmal allein heran und befestige das Gitter. Wenn ich winke, kommst du nach, Wilfried, und hältst die Pfähle, damit ich sie einrammen kann."

Nachdem diese Arbeit getan war, durfte Christel ihre Mohrrüben hineinwerfen.

Der Bär brummte ärgerlich. Doch dann schien er mit dem nahrhaften Segen, der da über die Treppe zu ihm heruntergekollert kam, ganz zufrieden zu sein. Man hörte ihn knacken und schmatzen.

„Morgen müssen wir ins Dorf und ganz viele Mohrrüben kaufen", sagte Christel, „oder was frißt er sonst noch gern, Vati?"

Der Förster schüttelte den Kopf. „Ich hoffe, daß Meister Petz morgen abgeholt wird. Wenn nicht, werden wir ihm natürlich noch Futter bringen. Ich treffe mich heute abend mit Förster Unger und ein paar Bekannten von ihm im Gasthaus ‚Waldkater'. Da werde ich ja sicher erfahren, wo hier in der Umgegend Jahrmarkt ist, und dann werde ich dort beim Gemeindevorsteher anrufen. — Aber nun kommt zurück ins Jagdhaus! Ich habe inzwischen selber einen Bären-hunger gekriegt auf ein gutes Abendessen."

„Einen Augenblick noch, Vati, ich muß dir schnell was zeigen." Christel faßte nach der Hand des Vaters, zog ihn um die abge-brochene Säule und zeigte auf das kleine, kugelförmige Nest in den Efeuranken. Wieder machte sie leise „Pswsws", aber es erschien kein Köpfchen in der Öffnung.

„Schade", sagte Christel. „Er scheint ausgeflogen zu sein. Hier wohnt nämlich der Zaunkönig." Sie lachte. „Womöglich hat der Bär ihn eben beleidigt, so wie in dem Märchen ‚Der Zaunkönig und der Bär', und nun ist er losgeflogen und ruft alles fliegende Getier zusammen, um gegen den Bären Krieg zu führen! Gerade als ich hier stand, Vati, und mich mit dem Zaunkönig unterhielt, hab' ich den Bären zum erstenmal brummen hören."

„Siehst du, Vati", triumphierte Wilfried, „ich hab' dir doch gleich gesagt, du solltest nicht so leichtsinnig sein, der Nachfolgerin des heiligen Franz von Assisi solche Aufträge zu geben. Sie predigt — pswsws — den Vögeln des Waldes, und was passiert? Sie bringt dir ein ausgewachsenes Raubtier an."

„Dafür kann ich doch nichts", verwahrte sich Christel, aber sie lachte dabei, denn sie hörte es ganz gern, wenn man ihr sagte, sie stünde mit allen Tieren auf du und du.

„Dürfen wir mitkommen, wenn du in den ‚Waldkater' gehst?" fragte Wilfried.

Der Vater schüttelte den Kopf. „Ihr geht brav in die Falle! In den Ferien sollt ihr euch ordentlich ausschlafen. Außerdem gehören Kinder nicht dazu, wenn sich Männer unterhalten!"

Wilfried zwinkerte dem Vater zu. „In fließendem Jägerlatein!" Und dann bückte er sich rasch vor der väterlichen Hand.

„Frechdachs!"

Der Klaps landete trotzdem wohlgezielt auf Wilfrieds Hinterkopf.

Während der Forstmeister im „Waldkater" der Tischrunde von dem Bärenfund seiner Tochter berichtete — wobei er auch voller Stolz von Christels anderen Erlebnissen mit Tieren erzählte — war im Jagdhaus noch lange nicht die Rede davon, „in die Falle" zu gehen. Die Geschwister mußten sich ebenfalls noch über Meister Petz unterhalten, der ihnen „in die Falle" gegangen war.

„Er tut mir so leid, der arme Teddy", meinte Christel. „Da hatte er sich nun gefreut, endlich in der Freiheit zu sein, und schon ist er wieder eingesperrt. Sicher hat er es schon gemerkt, weil er sich was zu fressen holen wollte. Von den paar Mohrrüben kann er doch nicht satt geworden sein. Was könnte man ihm denn sonst noch bringen — den Honig?"

Wilfried lachte. „Du bist imstande, noch mitten in der Nacht hinzugehen, um dem lieben Tierchen das Glas zum Auslecken hinzuhalten. Und dabei hat der Kerl womöglich das Gitter schon beiseitegeschoben — Bären haben ja soviel Kraft — und dann kommt er dir entgegen und nimmt dich gleich mitsamt dem Glas."

„Ach was, Bären fressen doch keine Menschen", widersprach Christel.

„Fressen nicht, aber totschlagen oder -drücken", erklärte Wilfried. „Ich habe mal gelesen, daß Bären in der Gefangenschaft ganz plötzlich böse werden können und dann gefährlicher sein sollen als Löwen."

Aber davon war Christel nicht zu überzeugen, und nachdem sie dem Bruder versprochen hatte, nicht doch heimlich mit dem Honigglas in den Wald zu gehen, war es für die beiden höchste Zeit zum Schlafen.

Die Birkenmaus

Als Christel und Wilfried am nächsten Morgen aufstanden, stellten sie fest, daß ihr Vater nicht da war. Zuerst bekamen sie einen Schreck. Es war ihm doch wohl auf dem Rückweg vom „Waldkater" nichts zugestoßen? Doch sein Bett bewies ihnen, daß er darin geschlafen haben mußte. Also war er schon sehr früh wieder fortgegangen.

„Er hätte uns doch wecken können", sagte Wilfried enttäuscht.

„Er scheint aber noch gar nicht gefrühstückt zu haben", meinte Christel beim Anblick der aufgeräumten Küche.

Wilfried war inzwischen auf die Veranda herausgetreten. Plötzlich rief er:

„Da hinten kommt Vati!"

Die Geschwister liefen ihm entgegen. Beim Näherkommen sahen sie, daß er den eisernen Fußabtreter unter dem Arm trug.

„Ach, ist der Bär schon abgeholt worden?" fragte Christel. „Das wollte ich doch so gerne sehen."

„Warum hast du uns nicht Bescheid gesagt, Vati?" beschwerte sich Wilfried.

„Habt ihr denn nicht gehört, wie die Männer heute früh kamen?" fragte der Vater. „Na, ihr habt ja einen gesegneten Schlaf! Die Leute haben ja fast die Tür eingeschlagen."

Wilfried grinste. „Dann muß dein Schlaf aber auch ganz schön gesegnet gewesen sein, Vati."

Der Förster lachte. „Kunststück! Es war doch erst drei Stunden her, daß ich mich schlafengelegt hatte."

„Hat sich der Bär denn gefreut, als er seine Herrchen wiedersah?" wollte Christel wissen.

„Das wohl nicht gerade, aber er hat sich auch nicht dagegen gesträubt, mit ihnen zu gehen. Anscheinend gefiel ihm die Freiheit gar nicht mehr. Wahrscheinlich ist er im Zoo geboren und aufgewachsen, und solche Tiere finden die Freiheit auf die Dauer meist ziemlich unbequem."

Sie waren inzwischen wieder beim Haus angelangt und betraten die Veranda.

„Was? rief der Vater. „Noch kein Frühstückstisch gedeckt? Noch kein Kaffee fertig? Und ich dachte, ich könnte mich gleich stärken. Nun aber mal fix, ihr Faulpelze! Wir wollen nachher die alte Oma Waldgret besuchen. Man muß sich doch mal erkundigen, ob ihr das unfreiwillige Bad nicht etwa schlecht bekommen ist."

Wilfried lief in die Küche und setzte den Wasserkessel auf den Spirituskocher — denn Gas und Strom gab es in der Jagdhütte natürlich nicht. Christel deckte den Tisch, und der Vater schnitt das Brot, so konnten sie schon fünf Minuten später mit Appetit essen und trinken.

Christel wies hinaus, wo es am Wegrand gelb in der Morgensonne leuchtete.

„Ob die alte Omi sich freut, wenn wir ihr einen Strauß davon mitbringen?"

„Sicher wird sie sich darüber freuen", meinte der Vater, „wir werden ihr einen Arm voll Ginster mitbringen."

Die alte Waldgret freute sich wirklich herzlich, am meisten natürlich darüber, daß der Förster und seine Kinder an sie dachten.

„Alte Leute vergißt man sonst rasch", meinte sie, ohne Vorwurf

103

in der Stimme, sondern eher im Ton einer sachlichen Feststellung. „Aber daß ihr mich noch nicht vergessen habt und mich sogar besuchen kommt — nein, nein, das kann ich gar nicht fassen. Das ist wirklich lieb von euch. — Setzt euch doch, setzt euch!" Sie lief aufgeregt im Zimmer hin und her. „Ich hol' euch nur noch — na, wo hab' ich's denn?"

„Liebe Mutter Waldgret", sagte der Förster, „bitte, machen Sie sich doch keine Umstände! Wir sind nur gekommen, um uns zu erkundigen, ob Sie auch keinen Schaden genommen haben bei Ihrem Sturz ins Wasser. Aber wie ich sehe, sind Sie ganz munter und haben nicht einmal eine Erkältung davongetragen. Ich bewundere Ihre Rüstigkeit."

„Ja, da staunen Sie, was?" Die Alte kicherte geschmeichelt. „Wissen Sie, lieber Herr Förster, ich bin ein zäher Schlag. Das liegt bei uns so in der Familie. — Ja, ja, Gesundheit ist eine rechte Gottesgabe!"

Sie hatte inzwischen gefunden, was sie suchte, und kam mit einer großen Flasche an, die einen kräftigen, wasserklaren Jägerschnaps enthielt, und mit einer bunten Blechdose, die sie mit ihren mageren, ein wenig zitternden Fingern öffnete. „Da!" sagte sie, und ihre guten, hellblauen Augen strahlten Christel und Wilfried an. „Mögt ihr wohl sowas?"

Es war ein selbsthergestelltes Gebäck in Form von großen Sternen mit dickem Zuckerguß. Die Geschwister dankten begeistert und langten tüchtig zu.

Auch der Förster ließ sich nicht nötigen. „Dann bekommt der Schnaps besser", meinte er. Und nachdem er einen Keks gegessen hatte, fügte er hinzu: „Ei, die sind lecker! Sie erinnern mich an meine Kindheit. Meine Mutter hat solches Gebäck immer zu Weihnachten gemacht. Da muß doch irgendein Gewürz drin sein, das man heute nicht mehr kennt."

„Ja, ja", nickte die alte Waldgret, „man muß sich manchmal wundern, was so alles vergessen wird an guten Sachen. Das Gewürz ist der Samen von einem Kraut — ich weiß nicht wie es heißt — das wächst da hinten im Gespensterbusch."

„Wo wächst das?" fragte Christel erschrocken.

Die Waldgret lachte. „Keine Angst, Mädel, es ist kein verzaubertes Hexenkraut, und Gespenster gibt's dort auch nicht. Die Gegend wird bloß so genannt, weil's da so ein bißchen grauslig ist. — Na, heute ja eigentlich nicht mehr. Das Moor ist trockengelegt und der Wald sauber ausgeholzt. Aber früher, als ich noch so jung war wie du, war's dort noch ganz wild, und da gab es noch den Uhu und den Wildkater. Ja, ja, ich hab' sie selber gesehen — waren damals auch schon selten."

Es klopfte von draußen an der Tür des kleinen, am Waldrand und nahe dem Dorf gelegenen Hauses der alten Frau. Sie erhob sich mit erstaunlicher Behendigkeit aus ihrem Ohrenstuhl und trippelte hinaus. „Das wird mein Enkel sein", murmelte sie dabei, „ja, ja, sicher ist das der Martin."

Es war der Martin, ein großer, stämmiger Mann mit frischen Gesichtsfarben, dem man ansah, daß er im Freien zu arbeiten pflegte. Er brachte zwei ebenso kräftige, rotbackige kleine Jungen mit, seine Söhne, die sich nicht sehr lange mit der Begrüßung der erfreuten, liebevollen Urgroßmutter aufhielten, sondern gleich auf die Keksbüchse losgehen wollten, die ihnen offenbar in angenehmer Erinnerung war.

Der Martin hatte ein kleines, ländliches Anwesen in der Nähe, und außerdem war er als Jagdaufseher für den Pächter der Jagd in diesem Waldrevier tätig. Er hatte also schon oft, wie er stolz berichtete, mit „dem Herrn Doktor" in der Jagdhütte übernachtet, wo jetzt Förster Waldrich und seine Kinder ihr Quartier für die Osterferien aufgeschlagen hatten.

Die Unterhaltung drehte sich natürlich zuerst um den Bären, der sich anscheinend auch ein paar nette Ferientage in diesem Waldgebiet machen wollte. Nur waren sie unerlaubt, und er hatte das Pech gehabt, von Christel entdeckt zu werden.

Sie kamen dann auf allerlei anderes seltenes oder selten gewordenes Getier zu sprechen, die Rieseneule, den Uhu zum Beispiel, von dem die alte Großmutter vorhin berichtet hatte, und den Wildkater, der so groß wie ein Fuchs gewesen sein sollte. Und dann berichtete der Jagdaufseher:

„Mein Vater hat auch mal was Interessantes erlebt. In jungen Jahren — nach dem ersten Weltkrieg muß das gewesen sein — war er eine Zeitlang als Waldarbeiter in diesem Revier tätig, weil die Landwirtschaft so schlecht ging. Ja, und da ist ihm, beim Holzfällen bei einer Birke war das, plötzlich eine ganz kleine Maus über die Hand gesprungen. Und weil sie ein bißchen anders aussah als gewöhnliche Mäuse, und er sie so hübsch fand, fing er sie ein und nahm sie mit nach Hause."

„Lebendig?" fragte Christel.

„Ja sicher, lebendig! Er hat ihr einen Käfig gebaut und sie gefüttert, nun eben wie man sich auch Goldhamster und solche Tiere hält — es hat ihm halt Spaß gemacht, das Tierchen. Aber was soll ich sagen: Eines Tages, da kommt doch zufällig so ein — ein Wissenschaftler ..."

„Ein Zoologe", half der Förster nach.

„Jawohl, so einer", nickte der Jagdaufseher, „also der kommt zufällig ins Haus und sieht das Mäuschen — und guckt und guckt — und dann ruft er: ‚Na, Donnerwetter', ruft er, ‚das ist ja eine ganz richtige echte Birkenmaus! Wo haben Sie die denn her?' — Na, mein Vater hat's erklärt, und der Zoologe hat gesagt, eine Birkenmaus sei in Deutschland ganz was seltenes, man hätte noch nie eine lebendige gefangen, nur mal in Holstein eine tote gefunden. Und dann hat er meinem Vater die Maus für viel Geld abgekauft — für die Wissenschaft."

„Das ist ja interessant!" sagte der Förster. „Wissen Sie, ob später hier noch mehr Birkenmäuse gefunden wurden?"

Der Mann wiegte den Kopf. „Lebendige, glaub ich, nicht. Dabei sind viele Fallen aufgestellt worden."

„Vielleicht sind sie nun ausgestorben", meinte Wilfried.

„Nein, es muß wohl noch welche geben, denn soviel ich gehört hab', sollen sich Haare und Knochen von Birkenmäusen manchmal noch im Gewöll von Raubvögeln finden — also in dem Zeug, das die als unverdaulich wieder ausspucken. Ich hab' übrigens als Junge auch mal eine gefunden — gar nicht weit von hier — aber leider war sie tot."

„Wie sieht denn die Birkenmaus aus?" wollte Christel wissen.

„Sehr klein ist sie. Die ich gefunden habe, war bloß sechs Zentimeter lang. Ihr Schwanz aber ist anderthalbmal so lang wie der ganze Körper. Das Fell ist hellgelblich-grau mit einzelnen schwarzen Grannenhaaren dazwischen, und vor allem hat sie über den ganzen Rücken — vom Kopf zwischen den Augen angefangen bis zum Schwanz — einen schwarzen Strich. Einen Aalstrich nannte es der Herr in dem zoologischen Institut, dem ich die Maus gezeigt habe. Er war ganz aufgeregt über meinen Fund, und er hat Leute hergeschickt, die viele Fallen aufgestellt haben. Aber ob eine lebendige gefangen wurde, weiß ich nicht."

Christel hätte noch stundenlang hier sitzen und Tiergeschichten hören mögen. Doch der Vater meinte, die alte Oma Waldgret brauche nun gewiß wieder ihre gewohnte Ruhe, und so verabschiedeten sie sich.

Auf dem Rückweg waren Wilfried und Christel ungewöhnlich schweigsam, und später, in der Jagdhütte, stellte es sich heraus, daß sie beide an das Gleiche gedacht hatten: Man müßte doch mal versuchen, so eine Birkenmaus zu fangen.

„Aber, wo kriegen wir eine Mausefalle her, Wilfried?"

„Irgendwo hab' ich eine gesehen. Ich muß mal suchen." Wilfried fand sie wirklich. Es war eine geräumige Rattenfalle. Sie war zwar schon etwas verrostet, und die Feder funktionierte nicht mehr, aber das brachte er in kurzer Zeit wieder in Ordnung.

Die Falle bekam als Lockmitel ein Stückchen knusprig gerösteter Brotrinde und wurde in einem Birkenwäldchen nahe dem Teich aufgestellt, in den kürzlich die alte Waldgret gefallen war.

Nachdem sie das Fanggerät aufgestellt hatten, streiften sie kreuz und quer durchs Gelände, um nach Würgeklumpen von nächtlichen Raubvögeln zu suchen, doch sie fanden keine.

Christel konnte kaum die Zeit bis zum nächsten Morgen erwarten, so sehr trieb es sie wieder ans Moor hinaus. Wilfried war natürlich genauso neugierig. Dem Vater hatten sie nichts von ihrem Vorhaben erzählt. Sie wollten ihn überraschen. Kaum hatte er die Jagdhütte verlassen, rannten sie los.

*

Es war noch früh am Morgen. An Gräsern und Gesträuch hingen Tauperlen und glitzerten in der Morgensonne wie unzählige Brillanten. Schon aus einiger Entfernung stellte Wilfried frohlockend fest, daß der Bügel hoch stand, die Falle also geschlossen war. Es mußte sich also etwas gefangen haben!

Dann standen Christel und Wilfried vor der Falle und staunten. Es war keine Birkenmaus darin, überhaupt keine Maus, sondern eine — Eidechse!

„Daß die sich mit gerösteter Brotrinde anlocken läßt, ist mir neu", sagte Wilfried verwundert.

„Vielleicht ist sie schon gestern nachmittag hineingekrochen, um sich auf dem warmen Holzboden der Falle zu sonnen", meinte Christel. „Zu dumm, daß wir nach Sonnenuntergang die Falle nicht nochmal überprüft haben. Dadurch haben wir eine Nacht nutzlos vertan. Heute ist schon Freitag. In drei Tagen müssen wir nach Hause fahren."

Sie befreiten die Eidechse aus ihrer Gefangenschaft und gingen ins Jagdhaus zurück.

Kurz vor dem Abendessen lief Christel nochmal rasch zu den Birken an dem kleinen Waldsee. Diesmal saß eine Spitzmaus in der Falle und blickte Christel mit ihren kleinen Perlaugen furchtsam an. Wahrscheinlich war sie noch nicht allzulange drin; denn Spitzmäuse kommen gewöhnlich erst in der Dunkelheit aus ihren Löchern. Außerdem fressen sie kein Brot, sondern Käfer und Engerlinge. Vielleicht war ein fetter Käfer in die Falle gekrabbelt und hatte seinen gefräßigen Feind hineingelockt.

Christel erkannte auf den ersten Blick, daß es keine Birken- sondern eine Spitzmaus war an ihrem dunkelrotbraunen Fell, und so ließ sie sie wieder laufen.

Am nächsten Morgen war nun das große Ereignis eingetreten:

Christel wollte es erst gar nicht glauben, als Wilfried triumphierend die Falle hochhielt. Aber es war keine Täuschung, in einer Ecke des Käfigs saß zusammengekauert und heftig zitternd ein Mäuschen mit langem Schwanz und dunklen Streifen auf dem Rücken, so wie der Jagdaufseher die Birkenmaus beschrieben hatte.

„Na? Wie stehen wir da?" rief Wilfried und schlug sich auf die herausgewölbte Brust.

Christel hüpfte vor Vergnügen auf einem Bein im Kreise und klatschte in die Hände.

„Was wohl Vati sagen wird..."

Auf dem Rückweg zur Jagdhütte malten sie sich aus, was die Zeitungen darüber bringen würden. Etwa:

Die Kinder des Forstmeisters Waldrich fingen die erste Birkenmaus in Norddeutschland! Oder:

Naturwissenschaftliches Ereignis! Wilfried und Christine Waldrich berichten...

So behutsam, ja fast feierlich hatten sie nicht einmal Mutters bestes Geschirr getragen, wie diese seltene Maus in der Rattenfalle. Sie erhielt einen würdigen Platz auf dem schweren Eichentisch im Jagdzimmer. Um das Mäuschen für das häßliche Asyl zu entschädigen, bekam es einige Kürbiskerne und eine Zuckerschale mit Wasser hineingereicht.

„Wir müssen die Fensterläden zumachen", schlug Wilfried vor, „damit die Maus glaubt, es sei Nacht, sonst frißt sie nicht."

Die Geschwister setzten sich ins dunkle Zimmer und warteten ganz still, bis sie es knuspern hörten. Dann knipste Wilfried hinter der vorgehaltenen Hand eine Taschenlampe an, da saß die Kleine aufrecht, hielt einen abgeschälten Kürbiskern in beiden Vorderpfötchen und biß daran ab wie von einem Riesenbutterbrot. Dann putzte sie sich das spitze Näschen, die langen Barthaare, das Gesicht bis hinter die großen runden Ohren, schließlich das ganze Fell, und zum Schluß zog sie den Schwanz durchs Mäulchen.

Christel und Wilfried waren so vertieft ins Zuschauen, daß sie die Rückkehr des Vaters überhörten und fast ebenso wie das Mäuschen erschraken, als plötzlich die Tür aufging.

„Nanu, warum sperrt ihr denn das Licht aus?"

„Weil wir einen seltenen Gast hier haben", sagte Wilfried geheimnisvoll.

„Potz Kuckuck!" rief der Förster, „da bin ich aber neugierig. Darf ich erfahren, wer das ist?"

„Also ein Potzkuckuck jedenfalls nicht", sagte Christel lachend, „aber du wirst staunen, was wir gefangen haben."

Wilfried war inzwischen zum Fenster gegangen, um die Läden zu öffnen.

„Na bitte!" sagte er triumphiernd, als es hell im Zimmer wurde, und zeigte auf die Falle.

Der Förster warf einen Blick auf das Tierchen, das ängstlich hin- und herlief.

„Was ist denn mit der Maus?" fragte er verwundert, als ob sie etwas Alltägliches sei.

„Aber Vati!" rief Christel eindringlich. „Guck doch mal genau hin! Das helle Fell, der dunkle Strich auf dem Rücken, der lange Schwanz — erkennst du sie denn nicht?"

„Eine Birkenmaus!" half Wilfried nach.

Der Förster zog seine Kinder gerührt an sich:

„Ach, ihr beiden Schlaumeier, da muß ich euch leider enttäuschen, das ist eine ganz gewöhnliche Brandmaus. Ich ahnte doch gleich, was ihr vorhattet, als ich merkte, daß die Rattenfalle aus der Küche weg war. Offengestanden, ich hätte es in eurem Alter genauso gemacht. Die Brandmaus soll übrigens schon öfter, wie mir heute mein Kollege Unger erzählte, mit der Birkenmaus verwechselt worden sein. Die Birkenmaus soll aber einen längeren Schwanz, einen spitzeren Kopf und eine andere Färbung haben."

Die kleine Brandmaus konnte ihr Glück gar nicht gleich fassen, daß sie ihre Freiheit wiederbekommen sollte. Als Wilfried die Falle vor die Tür brachte und öffnete, kroch das Tierchen ganz langsam hinaus, richtete sich auf und schnupperte erst in alle Richtungen, ehe es in raschen Sprüngen unter dem nächsten Strauch verschwand.

„Jetzt freust du dich aber, daß du keine Birkenmaus bist, was?" rief Christel ihr nach.

Wilfried blickte nachdenklich auf die Falle in seiner Hand, während seine Finger mechanisch den Bügel des Verschlusses immer wieder spannten und zuschnappen ließen.

„Weißt du was, Christel", sagte er endlich, „einmal versuchen wir's noch. Komm!"

Christel schüttelte den Kopf. „Tu, was du nicht lassen kannst, ich mag keine Tiere mehr fangen. Außerdem ist es mir heute zu warm, um noch bis zu den Birken am Teich zu laufen."

Auf dem Wege dorthin überlegte Wilfried, ob er die Falle diesmal nicht besser an einem anderen Platz aufstellen sollte. Aber er fand nirgends soviele Birken beieinander stehen wie an dem kleinen Waldsee, und Birkenmäuse, sagte sich Wilfried, würden sich doch nur in der Nähe solcher Bäume aufhalten. So brachte er die Rattenfalle doch wieder an die gleiche Stelle, gut versteckt unter einem Büschel jungen Grases, dicht neben einer schlanken Birke, deren Stamm seitlich geneigt war, so daß die Krone sich im Wasser spiegelte. Dadurch war der Baum bequem von seinen Artgenossen zu unterscheiden und der Ort, wo die Falle versteckt lag, leicht wiederzufinden.

Wilfried ahnte nicht, daß das in wenigen Stunden von großer Bedeutung für ihn sein würde.

Es brennt!

Es war kurz nach Mitternacht, als er unsanft aus dem Schlaf gerüttelt wurde.

„Wilfried, wach auf, die Heide brennt! Hörst du?"

Der Junge richtete sich auf und rieb sich die Augen. Der Vater stand angezogen vor seinem Bett.

„Was ist los?" murmelte Wilfried schlaftrunken und blickte zum Fenster, da bemerkte er den Feuerschein und war mit einem Satz auf den Beinen.

„Wie ist denn das passiert?" rief er erschrocken.

„Was ist passiert?" fragte Christel und fuhr ebenfalls im Bett hoch. „Waldbrand!" erklärte Wilfried, während er sich bereits hastig anzog.

„Es ist doch immer wieder derselbe Leichtsinn, der alljährlich große Teile unserer Wälder verwüstet", sagte der Förster zornig. „Überall sind Warnschilder angebracht, daß das Rauchen im Wald verboten ist, aber irgendein Idiot findet sich doch wieder, der meint, ihn ginge das nichts an. Statt die reine Waldluft einzuatmen, müssen sie qualmen, wo sie gehen und stehen. Dazu können sie doch zu Hause bleiben. — Bist du fertig, Junge? Gut, dann rennst du jetzt so schnell du kannst, zu Förster Unger, damit er telefonisch die Feuerwehren der Umgebung herbeiholt — falls er den Brand nicht schon bemerkt und es getan hat. Christel und ich folgen nach. — Los, Mädel, beeile dich! Du bleibst bei Frau Unger, Wilfried und ich helfen."

Eine halbe Stunde später waren Vater und Sohn Waldrich vom Forsthaus aus unterwegs und eilten mit Spaten, Axt und Schrotsäge versehen, an die Brandstätte.

Wilfried hatte noch nie einen Waldbrand miterlebt und starrte nun entsetzt auf das grausige Bild der Vernichtung. Sein Vater und er waren die ersten, welche das brennende Jagen erreichten. Nacheinander trafen die Förster der angrenzenden Reviere mit ihren Gehilfen ein. Aus den umliegenden Siedlungen kamen die Waldarbeiter sowie alle, die mithelfen wollten, den Wald zu retten.

Gewiß waren auch viele darunter, die eigentlich nur aus Neugierde eingetroffen waren, aber sie wurden sofort zur Hilfe mit eingesetzt, denn hier war jede Hand nötig. Um das Feuer möglichst auf seinen Herd zu beschränken, wurden die gefährdeten Bäume gefällt und der Wald soweit gelichtet, daß ein Weiterspringen der Flammen von Krone zur Krone unmöglich wurde. Da es meist junger Baumbestand war, ging die Arbeit flott voran. Ein Trupp schlug mit Beilen eine Bresche und der nachfolgende räumte das Holz auf eine sichere Entfernung beiseite.

Das war eine Arbeit, die auch Wilfried schon leisten konnte. Seine Augen tränten, der Schweiß lief ihm übers Gesicht, aber er merkte es nicht vor lauter Eifer. Es war wie ein Wettlauf mit dem Feuer!

Der lodernde Brand fraß sich mit gierigen Zungen und unheimlicher Geschwindigkeit durch die Bäume. Immer näher drang das Flackern, Zischen und Knattern, das Knistern und Prasseln, als triebe die Naturgewalt einen Höllenspuk im tollen Wirbel vor sich her. Die Menschen schwitzten nicht allein von der harten Arbeit, sondern von dem Gluthauch des Feuersturms. Aber sie durften nicht ermatten, sondern mußten so schnell wie möglich abholzen, um dem drohenden Unheil eine Grenze zu setzen.

Der Durchhau sollte nachher vom Löschzug besetzt und gegen das Übergreifen des Feuers in der Windrichtung gehalten werden. Auf diesem Abschnitt lag also die größere Gefahr.

Endlich erklang das Signal der von der Landstraße herannahenden Feuerwehr. Das gab allen neue Kraft.

Während die Feuerwehrleute vom Landgraben her ihre Schlauchleitungen ansetzten, hörte Wilfried einen von ihnen sagen, daß aus der Stadt weitere Löschzüge alarmiert worden seien, denn der Brand solle im Süden schon über den Dohlenkolk vorgedrungen sein, so daß das Jagen in Richtung auf das Dorf abgeschirmt werden müsse.

Mit dem „Dohlenkolk", das wußte Wilfried, bezeichneten die Ansässigen den kleinen Moorsee am Birkenwäldchen.

Die schlimme Botschaft beunruhigte ihn, denn hier hatte er doch heute nachmittag wieder die Falle aufgestellt.

Wenn nun irgendein Tier — es brauchte ja keine Birkenmaus zu sein — darin gefangen saß, dann mußte es durch seine Schuld elend umkommen.

Am liebsten wäre er sofort losgerannt, aber das durfte er ja nicht, denn da er nun einmal zum Räumen mit eingesetzt war, mußte er auch dabei bleiben.

Erst als der Brandmeister rief: „So, nun gehen Sie hier mal alle weg und helfen bitte auf der linken Seite!" nahm Wilfried die Gelegenheit wahr und jagte auf dem von Baumfackeln erleuchteten Weg zum Dohlenkolk. Auch auf der Südseite hieben halbnackte, schweißtriefende Gestalten eine breite Gasse durch die Schonung, während andere den Boden von Reisig und Nadelspreu befreiten.

Um von den Männern nicht bemerkt und angehalten zu werden, lief Wilfried geduckt abseits durch ein Gesträuch, in dem das Feuer bereits an verschiedenen Stellen aufflammte. Das war leichtsinnig, aber in diesem Augenblick überlegte er nicht, was er tat, sondern wollte so schnell wie möglich an das Fanggerät gelangen.

Endlich sah er den Dohlenkolk vor sich, aber was war das für ein Anblick! In weitem Umkreis brannte der gesamte Baumgürtel, welcher bis auf einige Meter an das Wasser heranreichte, lichterloh.

Die sengende Hitze würde hier einen längeren Aufenthalt unmöglich machen.

Wo war die Falle?

Im Widerschein des Feuermeeres und der abziehenden Rauchschwaden sah der Teich in seiner nächsten Umgebung so fremd und unheimlich aus, daß Wilfried sich nicht gleich zurechtfand. Inzwischen züngelten die Flammen wie gierige Schlangen durch verdorrte Gräser an einigen Stellen schon bis zur Schilfgrenze vor.

Wilfried rang mühsam nach Luft. Eine schreckliche Angst, wie er sie noch nie empfunden hatte, ergriff ihn. In der Hast, aus diesem Höllenofen so schnell wie möglich wieder fortzukommen, stolperte er über einen Baumstamm. Im Sturz traf sein Arm auf heißes Drahtgeflecht. Es gab einen Knacks, er war auf die gesuchte Falle geschlagen und hatte sie selbst ausgelöst. Es war also kein Tier darin. Er schleuderte sie aufs Wasser hinaus.

In der gleichen Sekunde, da sie aufklatschte, kam ihm, wie durch ein Wunder, der rettende Einfall. Er rollte den kurzen Stamm, über den er gefallen war, das abschüssige Ufer hinab, setzte sich darauf und ruderte mit den Händen der Mitte des Kolks zu. Ein anderer Ausweg wäre ihm gar nicht geblieben, denn das Feuer hatte ihm den Rückweg abgeschnitten. Der Weiher und der Baumstamm retteten ihm das Leben. Selbst in der Mitte des kleinen Waldsees war es noch erdrückend heiß.

Wilfried zog seine Jacke aus, tauchte sie ins Wasser und legte sie sich über Kopf und Rücken. Das nasse Kleidungsstück wirkte erfrischend. Wilfrieds Angst legte sich allmählich und er kriegte wieder Mut, ja, er fing sogar an, sein unfreiwilliges Abenteuer interessant zu finden. Jetzt konnte ihm ja nichts mehr passieren. Schlimmstenfalls mußte er auf seinem schwankenden „Kahn" so lange sitzen bleiben, bis das Gehölz rundum niedergebrannt war.

Plötzlich entdeckte Wilfried, daß er nicht allein war, sondern einen Schicksalsgenossen hatte, der ebenfalls Zuflucht in dem Waldsee suchte. Im flackernden Feuerschein bewegte sich etwas auf der Wasserfläche.

Was war das?

Für eine Ratte war der Kopf zu groß. Außerdem war das Tier

117

offenbar kein geübter Schwimmer, denn es planschte und paddelte so ungeschickt.

Wilfried verhielt sich ganz ruhig, gleich mußte es an ihm vorbeikommen.

Jetzt konnte Wilfried es erkennen und er staunte; es war — ein H a s e , der wohl auch keinen anderen Ausweg mehr gefunden hatte, als sich ins Wasser zu retten.

Wahrscheinlich war es ihm in seinem Versteck zu brenzlig geworden, so daß er sich in seiner Todesangst zu einer Tat entschloß, die einem Hasen sonst ganz fremd ist: Er sprang ins Wasser und paddelte an die jenseitige Böschung, wo er wieder im Schilf verschwand. Ob er es darin aushielt? Vielleicht würde ihn sein nasser Balg genauso schützen wie Wilfried die Jacke.

*

Ganz allmählich wurde das Prasseln des Feuers leiser, wurden die Flammen kleiner, sank die Glut zusammen und überzog sich leise knisternd mit silbrig flimmernder Asche. Langsam ließ die schreckliche Hitze nach. Aber der Morgenwind trieb noch immer Rauchschwaden und Ascheflocken über den Himmel, so daß es noch lange dämmrig blieb, als die Sonne schon aufgegangen war.

Dort, wo sich bis vor wenigen Stunden der harzige Duft von Kiefern und Fichten verbreitete, wälzte sich beißender, stickiger Qualm.

Wilfrieds Kopf schmerzte vom Einatmen des Holzgases. Wieder fühlte er die Angst aufsteigen. Plötzlich wurde ihm klar, daß der Vater ihn jetzt gewiß vermißte, der ja gar nicht ahnen konnte, wo er seinen Sohn suchen sollte.

Wilfried hatte auf einmal ein unbezwingbares Verlangen, den Vater und Christel wiederzusehen. Er mußte zu ihnen, und zwar — sofort. Wenn er noch länger den Rauch einatmete, war er vielleicht in einer halben Stunde gar nicht mehr imstande, zu laufen. Es fiel ihm jetzt schon schwer, den Baumstamm, auf dem er saß, ans Ufer zu paddeln.

An der Stelle, wo die wenigsten Stumpen übriggeblieben waren, wollte er in pitschnassen Kleidern den Durchbruch wagen. Unter seinen Tritten flog die noch immer glimmende Asche auf. An den nackten Knien bildeten sich die ersten Brandwunden. Er bemerkte mit Schrecken, daß er sich beeilen mußte, die unverbrannte Erde zu erreichen, denn die Sohlen wurden immer heißer.

Am schlimmsten war wieder der Rauch, der sich auf seine Lungen legte und sie zusammenschnürte, so daß er fürchtete, ersticken zu müssen.

Umkehren konnte er jetzt nicht wieder. Es war fraglich, ob er sich in dem völlig veränderten Gelände wieder zurückfand.

Seine Augen waren entzündet und tränten heftig, Nase und Rachen brannten, und machten jeden Atemzug zu einer Qual.

Von wildem Entsetzen gepackt, sprang Wilfried weiter durch die höllische Glut.

„Nicht schlappmachen!" dachte er dabei immer wieder und strengte verzweifelt seine letzten Kräfte an.

„Bloß nicht schlappmachen!"

Die Kleidung war zerrissen, Wilfried torkelte nur noch dahin. Er wollte schreien, aber aus seiner ausgetrockneten Kehle kam nur ein schmerzhaftes Röcheln.

Sollte er jetzt noch verloren sein? Im letzten Aufbegehren dagegen hob er den Kopf und blickte sich um. War es ein Traum?

Zwischen einzelnen, in langen Fahnen ziehenden Rauchschwaden leuchteten blauer Himmel und herrlicher grüner Hochwald!

Wilfried torkelte, stolperte darauf zu. Wie er den Wald erreichte, darauf konnte er sich später nicht mehr besinnen.

*

Zur gleichen Zeit waren der Förster und Christel in heller Aufregung auf der Suche nach Wilfried. Nachdem das Feuer soweit eingedämmt war, daß es von den aus der ganzen Umgebung herbeigeeilten Löschzügen unter Kontrolle gehalten werden konnte, ging Forstmeister Waldrich zum Hause seines Kollegen Unger, um Christel und Wilfried abzuholen, denn er nahm als selbstverständlich an, daß der Junge mit den anderen heimkehrenden Dorfbewohnern gegangen war und sich dann zum Forsthaus gewandt hatte, da er ja wußte, daß Christel sich dort aufhielt.

Zunächst hatte sich der Vater noch keine Gedanken gemacht, als er Wilfried dort nicht antraf, sondern er vermutete, der Junge sei vielleicht mit dem Enkel der alten Waldgret oder anderen Helfern mit ins Dorf gegangen, um nicht allein durch den nun so grausig veränderten Wald gehen zu müssen.

Erst als Wilfried auch im Laufe des Vormittags nicht in die Jagdhütte zurückkehrte, wurde der Förster unruhig, und er ging mit Christel ins Dorf, um sich der Reihe nach in allen Häusern zu erkundigen.

Die meisten Leute mußten erst geweckt werden, doch alle konnten auf die Frage nach Wilfried nur schlaftrunken murmeln, daß sie sich leider nicht entsinnen könnten, wann und wo sie den Jungen zuletzt gesehen hätten. Nur eine Frau erinnerte sich schließlich, daß aus ihrer Räumgruppe jemand fortlief, als die Feuerwehr kam. Aber wer das war, wußte sie nicht, sie habe auch nicht weiter darauf geachtet, weil es ja sowieso hieß, man solle an dieser Stelle mit der Arbeit aufhören und den Löschmannschaften Platz machen. Ja, so ein Halbwüchsiger könnte das wohl gewesen sein, meinte die Frau, und er sei, wenn sie sich nicht irre, in Richtung auf den kleinen Waldsee, den sogenannten Dohlenkolk, zugelaufen.

„Das war bestimmt Wilfried", meinte Christel, „er hat sicher die Falle holen wollen, die er gestern dort wieder aufgestellt hatte."

„Womöglich hat er sich verlaufen. Wir müssen ihn gleich suchen gehen!" sagte der Vater.

In der Umgebung des Forsthauses hatte der Wald keinen Schaden gelitten. Doch Förster Waldrich und Christel waren noch keine halbe Stunde gegangen, da lichteten sich die Bäume, und dazwischen waren schon hier und dort in dem kahl gewordenen Gelände schwarzverkohlte Stümpfe zu sehen, die wie anklagend erhobene Finger in den blauen Himmel ragten.

„Man findet sich ja gar nicht mehr zurecht", sagte Christel beklommen, „gehen wir denn überhaupt richtig zum Dohlenkolk?"

Der Vater nickte, sprechen konnte er nicht. Der Anblick der Verwüstung bedrückte ihn furchtbar, und die Angst, seinem Jungen könne bei der grausigen Katastrophe dieser Nacht etwas zugestoßen sein, schnürte ihm die Kehle zu.

Plötzlich fing er an zu laufen, „Wilfried!" schrie er dabei, und immer wieder: „Wil — fried!" Die Verzweiflung gab seiner Stimme einen so schrecklichen Klang, daß Christel, die hinter ihm herrannte, sich laut weinend die Ohren zuhielt.

Endlich blieb der Vater keuchend stehen. Zitternd drückte sich Christel an ihn und umklammerte seine Hand. Eine Weile standen sie so und horchten, aber es war totenstill. Nicht einmal eine Vogelstimme war zu hören.

„Wil — fried!" rief der Vater wieder, „Wil..."

„Vati", unterbrach Christel und schüttelte aufgeregt seine Hand. „Sei mal still, ich hab was gehört."

Wieder lauschten beide. Aus dem grünen Unterholz nahe der Stelle, wo das Feuer rund um den Waldsee sein Zerstörungswerk getan hatte, klang ein leise plärrender Laut herüber. Es hörte sich an, wie das schwache Geschrei eines Neugeborenen.

Der Förster schüttelte enttäuscht den Kopf. „Das ist..."

Aber Christel hatte seine Hand schon losgelassen und war dem Geräusch entgegengelaufen. Vorsichtig umschlich sie ein Gebüsch aus jungem Birkengrün und spähte durch das Blättergewirr.

„Ä — errräää!" Da war es!

Christel bog die Zweige auseinander. Etwas hellbraunes, gelblichweiß Geflecktes bewegte sich dort. Große dunkle Augen blickten Christel ängstlich an.

„Ein Rehkitz, Vati!" rief Christel. „Ach herrje, und wie sieht es aus! Komm, du Armes, ich tu dir ja nichts, komm, komm!" lockte sie das Tierchen.

Aber das kleine Reh schien ihr nicht zu trauen. Mühsam und klagend kroch es langsam auf seinen zerschundenen Beinen voller Brandwunden rückwärts.

Christel umschlich das Gesträuch leise und rasch, um das scheue Tier auf der anderen Seite in Empfang zu nehmen. Plötzlich blieb sie stehen und stieß einen kleinen Schrei der Überraschung aus.

121

„Wilfried!" rief sie dann aufgeregt. „Vati, hier ist Wilfried!"

Sie kniete neben dem am Boden liegenden Bruder nieder und faßte nach seiner Schulter.

„Wach auf! — Du — hör doch, Wilfried!" flehte sie beschwörend. „Wir sind ja hier."

Mit langen Schritten kam der Vater angelaufen, schob Christel wortlos beiseite und beugte sich dicht zu Wilfrieds Kopf hinunter. Dann richtete er sich mit einem Seufzer der Erleichterung auf.

„Er atmet!" murmelte er. „Er lebt Gott sei dank!"

Behutsam hob er seinen Jungen auf und trug ihn fort, vorsichtig auf jeden Schritt achtend, um nur ja nicht zu stolpern.

Christel folgte ihm. Doch da hörte sie hinter sich wieder das jammervolle „Ä — erräää!" Sie drehte sich um, das Rehkitz versuchte, ihr nachzulaufen, torkelnd und humpelnd.

Gleich darauf bemühte sich auch Christel, so vorsichtig und wie der Vater zu gehen, denn sie trug ebenfalls einen Patienten auf den Armen.

Pipsi

Wilfried kam mit einer schweren Rauchvergiftung ins Krankenhaus und mußte dort eine ziemlich lange Zeit liegen, denn auch die Verbrennungen, die er an Händen und Beinen davongetragen hatte, heilten nur langsam und waren sehr schmerzhaft. Er mußte wohl auf dem Weg vom Teich über die noch glimmenden Reste des verbrannten Waldes ein paarmal hingefallen sein. Aber darauf konnte er sich nicht mehr besinnen. Es war ein Wunder, daß der Junge trotz seiner Schwäche noch soviel Lebenswillen aufgebracht hatte, sich bis zu dem Birkengebüsch weiterzuschleppen, wo er in Sicherheit war.

Zuerst hatten der Forstmeister und Christel ihre Verunglückten zum Forsthaus gebracht, wo Wilfried in den Wagen gepackt und schnell in die nächste Kreisstadt gefahren wurde, während Frau Unger, die Försterin, und Christel die Wunden des kleinen Rehs mit Brandsalbe bestrichen. Dann durfte Christel das Tierchen aus der

Milchflasche füttern. Von da ab lief es auf Schritt und Tritt hinter Christel her. Bald hörte es sogar darauf, wenn sie es „Bambi!" rief.

Da der Vater ein paar Tage in der Stadt blieb, bis er die Gewißheit hatte, daß für Wilfried keine Gefahr mehr bestand, und er einen körperlichen Schaden zurückbehalten würde, durfte Christel in dieser Zeit noch bei Ungers im Forsthaus wohnen und brauchte nichts anderes zu tun, als das kleine Reh zu pflegen. So konnte sie noch miterleben, daß ihr vierbeiniger Patient wieder gesund wurde und nachdem er die Verbände los war, in übermütigen Sprüngen auf dem Rasen hinter dem Haus herumtollte. Das Gartentor stand weit offen, aber Bambi dachte gar nicht daran, fortzulaufen. Dem schlauen Tierchen war offensichtlich klar, daß es ihm nirgendwo besser gehen konnte als hier. Es entschloß sich also, hierzubleiben.

Aber leider mußte das Rehkitz die Erfahrung machen, daß es für ein wildlebendes Tier am besten ist, sich auf niemanden zu verlassen, auch nicht auf die gutherzigen Menschen.

Obwohl alle im Forsthaus bemüht waren, Frau Ungers Dackelhündin vom Garten fernzuhalten, gelang es ihr doch einmal, eine versehentlich nicht ganz fest geschlossene Tür aufzustoßen. Mit großen Sprüngen, fliegenden Ohren und lautem Gekläff, in ganz hohen Tönen vor Aufregung, kam sie angejagt.

Zum Glück konnte Christel sich ihr in den Weg stellen und sie dadurch für einen Augenblick aufhalten. In der gleichen Sekunde war Bambi mit einem Satz über den Jägerzaun gesprungen und im Wald verschwunden.

So schnell konnten die kurzen Dackelbeine nicht folgen, zumal sie ohnehin noch den Umweg durch die Gartentür machen mußten, und so gab die Hündin die Verfolgung bald auf und kehrte hechelnd, aber mit dem zufriedenen Gesichtsausdruck eines Wächters, der einen unbefugten Eindringling vertrieben hat, zurück.

Als Christel aber böse war mit der Dackelin und ihr mehrere energische „Pfuis" an den Kopf warf, ließ sie beschämt die Ohren hängen, legte sich schließlich auf den Rücken und streckte ihr abbittend die dicken Pfoten entgegen.

124

Anschließend wollte sie Christel offenbar dafür entschädigen, daß ihr Spielkamerad verjagt worden war, jedenfalls gestattete die Hündin großzügig, daß Christel ihre drei Jungen besichtigte, die sie vor ein paar Wochen geworfen hatte. Bisher war dieser Vorzug jedem knurrend und zähnefletschend verweigert worden.

Heute ließ die stolze Mutter sogar zu, daß ihre Kleinen gestreichelt wurden. Sie stand mit schiefgedrehtem Kopf dabei, als wollte sie fragen:

„Na, hast du jemals schon so vollendet schöne Kinder gesehen?"

Das konnte Christel bestätigen, ohne heucheln zu müssen. „Ach, sind die goldig!" rief sie aus, und die Hundemutter wedelte geschmeichelt.

Es waren zwei Rüden und eine Hündin, mit denen Christel sich nun beschäftigte. Es wurde ihr nie zu langweilig, dem drollig-tollpatschigen Spiel der drei goldbraunen, samtweichen Kerlchen zuzusehen.

„Aber die beiden Jungens", meinte sie zu Frau Unger, „gehen viel zu grob mit ihrer kleinen Schwester um."

„Das schadet nichts", erwiderte die Förstersfrau, „dabei lernt sie, sich ihrer Haut zu wehren. Die Hündin war bei der Geburt ein bißchen schwächlich. Das hat sich durch das robuste Spiel schon etwas gebessert. Aber mein Mann sagt, für die Jagd würde sie sich trotzdem nicht eignen."

„Was werden sie denn dann mit ihr machen?" fragte Christel besorgt, „doch nicht etwa töten?"

„I bewahre!" wehrte Frau Unger ab. „Wenn wir das wollten, hätten wir es gleich machen müssen. Jetzt ist das Tier ja schon sechs Wochen alt. Nein, ich denke, wir werden sie zu tierliebenden Menschen in die Stadt geben. Dackel werden ja immer wieder gern genommen, weil sie auch in kleinen Wohnungen gehalten werden können, und weil sie so ulkig, aber auch wachsam sind. Außerdem lassen sie sich so gern verwöhnen."

„Und dabei werden sie fett wie die gestopften Würste", ergänzte Christel und streichelte das Hundekind auf ihrem Arm.

„Arme, kleine Pipsi, du tust mir heute schon leid."

Frau Unger lachte. „Wie nennst du sie? Pipsi? Wie kommst du denn auf den komischen Namen?"

„Och —", machte Christel verlegen, „das fiel mir gerade so ein."

„Laut Stammbaum heißt die Kleine Pepita vom Dohlenkolk", sagte die Förstersfrau, „gefällt dir der Name?"

„Na — ja — es geht —", sagte Christel gedehnt. „Diese Stammbaumnamen sind ja meistens ein bißchen..." beinahe hätte sie gesagt „verrückt". Aber, das schien ihr doch zu unhöflich, und so fuhr sie fort: „... ein bißchen — künstlich — ich meine so gesucht."

„Ja sicher!" bestätigte Frau Unger. „Es ist aber auch oft schwierig, immer wieder neue Namen zu finden, vor allem, weil man bei jedem Wurf an einen bestimmten Anfangsbuchstaben gebunden ist. Wir haben die eingetragene Dackelzucht schon ziemlich lange und durchlaufen nun schon zum zweitenmal das ganze Alphabet. Jetzt war gerade wieder der Buchstabe ‚P' dran."

„Alles von einer Hündin?" staunte Christel.

„Um Himmels willen, nein!" Frau Unger schlug die Hände zusammen. „Das arme Tier! Bitte, Christel, rechne mal aus, wie oft es hätte Junge kriegen müssen. Nein, daran sind bereits Töchter, Enkelinnen und Urenkelinnen beteiligt. — Ich finde übrigens, daß Pepita eigentlich ein hübscher und passender Name für eine Dackelhündin ist."

„Ja, und Pipsi ist genau die richtige Abkürzung als Kosename", stellte Christel triumphierend fest.

Pipsi war nicht mehr von Christels Seite wegzubringen, die sich vor jedem Schritt seitwärts oder rückwärts vorsichtig umsah, damit sie das kleine Tier nicht trat. Denn, wo sie ging und stand, hoppelte Pipsi hinter ihr her. Und das Erstaunlichste war; die Hundemutter schien gar nicht eifersüchtig zu sein. Im Gegenteil, sie blieb behaglich zusammengerollt zwischen ihren Söhnen im Körbchen liegen und blickte der ungetreuen Tochter mit einer Miene nach, die deutlich Befriedigung ausdrückte, so als ob die Mutter sich sagte: Na ja, die Kleine hätten wir also schon gut untergebracht!

Es kam also von keiner Seite ein Widerspruch, als Förster Unger anbot, Christel die kleine Hündin zu schenken. Er wollte, wie er sagte, nicht nur Christel damit eine Freude machen, sondern auch seinem Kollegen Waldrich, Christels Vater, seinen Dank abstatten, für die große Hilfe, die er ihm bei dem Waldbrand geleistet hatte.

Christel war glücklich. Vor Freude und Dankbarkeit umarmte sie nicht nur den Vater, sondern auch Frau Unger, und das Dackelkind, „ihre" Pipsi, wollte sie gar nicht mehr aus dem Arm lassen. Sie schien zu fürchten, daß es sich irgend jemand im letzten Augenblick wieder anders überlegen könne, so daß der schöne Traum von einem eigenen Hund wieder in Nichts zerrann.

Es zeigte aber niemand die Absicht, ihr diesen stolzen Besitz wieder streitig zu machen. Nicht einmal Pipsi selbst schien den Wunsch zu haben, bei der Mama zu bleiben.

Das Hundebaby war nämlich seit geraumer Zeit daran gewöhnt, seine Nahrung aus Menschenhand zu empfangen, weil es von den Brüdern, je kräftiger sie wurden, immer mehr von dem mütterlichen Quell fortgedrängt worden war.

Also brachte Christel wieder einmal ein Tier mit nach Hause. Diesmal aber durfte sie es ganz bestimmt behalten. Sie brauchte ihre Liebe zu ihm nicht dadurch zu beweisen, daß sie es in die Freiheit des Waldes entließ, wie damals Strolch, den Fuchs. Und es bestand wohl auch kaum die Gefahr, daß Pipsi einem neidischen Feind zum Opfer fiel, wie Söffken, die Haubenlerche.

Als Wilfried eine Woche später gesund ins Forsthaus zurückkehrte, war die Wiedersehensfreude zwischen den Geschwistern so groß, daß Christel den Bruder beinahe am Besitz des Hundes beteiligt hätte.

Sie fing schon an: „Du darfst Pipsi natürlich auch . . .", aber dann sagte sie doch nicht „haben", sondern sie schränkte ihre voreilige Großmut ein und vollendete den Satz: „ . . . auch lieben — wenigstens zum Teil."

Wilfried lachte. „Welchen Teil darf ich denn lieben, den vorderen oder den hinteren?"

Und dann klopfte er Christel beruhigend auf die Schulter. „Keine Angst, Schwesterlein! Ich weiß doch, wie sehr du dir ein Tier gewünscht hast, das dir allein gehört. Das soll nur deine Pipsi sein."

Fräulein Pepita vom Dohlenkolk, die dank Christels fachkundiger Ernährung zu einem hübschen Dackel heranwuchs, mit seidigem Lockenfell und schlanker Figur, gab eindeutig zu verstehen, daß sie allein zu entscheiden wünschte, wem sie gehören wollte. Ihr sicherer Hundeinstinkt verriet ihr, daß sie kein besseres Frauchen haben konnte als Christel. Zwar nahm Pipsi auch von Wilfried gnädig einen Knochen entgegen, aber auf den Schoß nehmen und kraulen ließ sie sich nur von Christel. Bei ihr durfte Pipsi sogar auf dem kleinen, bequemen Sessel liegen, während Frauchen Schularbeiten machte.

Einmal kam Wilfried herein, um mit der Schwester etwas zu besprechen. Kurzerhand ergriff er den Hund, setzte ihn auf den Boden und nahm selber auf dem Sessel Platz.

„Was fällt dir denn ein?" empörte sich Christel. „Du kannst dir doch wohl einen anderen Stuhl holen!" Sie hob Pipsi auf ihre Knie und streichelte ihren Liebling. „Ich möchte dich mal hören, wenn dich einer mitten im Schlaf aus dem Bett schmeißt."

Pipsi begriff sofort, daß sie hier in Schutz genommen wurde. Mit zufriedenem Knurren legte sie sich auf Christels Schoß zurecht, den Kopf und die dicken, kurzen Vorderpfoten auf ihren Arm gestützt.

„Sieh doch mal", fuhr Christel gerührt fort, „diese goldigen Plüschpfötchen!"

Wilfried betrachtete seine großen, nicht sehr sauberen Jungenhände und meinte nachdenklich: „Tja — Plüschpfötchen müßte man haben!" Und nach einem Seufzer fügte er hinzu: „Und Hund müßte man sein — aber bei Christel!"

Ende dieses ◆ Karo-Buches